義太夫節浄瑠璃未翻刻作品集成 80

義太夫節正本刊行会 編

花筏巌流島《はないかだがんりゅうじま》

玉川大学出版部

表紙図版　義太夫節浄瑠璃全盛期の竹本座と豊竹座
（早稲田大学演劇博物館蔵『竹豊故事』より）

刊行にあたって

浄瑠璃が板本として出版され始めてから、ほぼ四百年の時が経つ。その間に刊行された作品は千数百点にも達するであろう。わが国の代表的劇作家近松門左衛門の極く初期の作品を以て、古浄瑠璃と当流（新）浄瑠璃とに二分するのが浄瑠璃史の定説であるが、古浄瑠璃時代の作品（約五百点）は全てといってよいほど活字化されている。当流浄瑠璃となると、近松を初め、紀海音、錦文流、西沢一風、福内鬼外、菅専助の六作者に関してはそれぞれ全集が刊行されているが、それ以外の作者のものは文学全集等に収められた名作と称されるものに限られている。活字化された作品が極めて少ないのが現状である。

近代になると明治維新以前の書物が活字化されることとなる。この潮流の中に浄瑠璃名作も含まれ、その数は少なくない。だが名作の重複といわざるをえない。

近世芸能の浄瑠璃は近代になっても文楽の名のもと、舞台の芸能として隆盛を続けた。大阪という一都市に限らず、全国に文楽人口は充ち満ちていたといっても過言ではない。文楽を支える人口の相当数は浄瑠璃を習得する人口とも合致した。文楽は太夫、三味線、人形の三業によって成り立つ芸能であるが、太夫と三味線だけで浄瑠璃を聞かせること、今でいう素浄瑠璃でも十分満足できる。玄人は素浄瑠璃の会を開催する。素人もまた己の芸を披露することを試みる。これは浄瑠璃が音曲として勝れた表現技法を会得していることによるが、さらにいえば語られる内容が聴く者の心を揺り動かすためである。言葉を替えていえば文学としての鑑賞にも十分耐え得る内容を浄瑠璃が備えているということであろう。

浄瑠璃が語られ始めてさほど時を経ぬ時代から、文学として享受された記録は、全国各地に拾うことが出来る。何故か。手短にいおう。浄瑠璃は近世庶民の倫理観、人生観を構築していく上で必読書であった。それ故に近代の出版物に多く含まれたのである。

近世から近代まで、わが国の一般庶民に愛好された浄瑠璃、そこで展開された思想は、血肉となって伝えられたといってもよい。現代は如何であろうか。断絶があるという外はない。理由は浄瑠璃との接触の機が非常に薄くなったためである。この不幸な状況を打破すべく、私どもは義太夫節正本刊行会を平成十年に組織して活動を始めた。未翻刻作品を世に送り出し、あわせて戦前に翻刻があるものの手に入りにくく、今や未翻刻と同様の作品も対象とすることとした。

先に述べた古浄瑠璃の作品や浄瑠璃作者の全集は学術出版の形をとったが、ここに提供する「集成」は、誰もが一度は手にとらねばならなかった小・中学校の教科書を意識した造本にした。近代日本における個性あふれる教育機関として知られる玉川大学の出版部において、この「集成」が世に出ることも、何かの巡り合わせではなかろうか。このことは会員一同の喜びでもあり、今は読者の一人でも多からんことを祈る気持ちである。


右は第一期刊行時の趣意に多少の手を加えたもので、今も当初の意識を持続している。

第二期に至り賛同した数人の若い研究者の参加を得、第三期以降は更に賛同者を増加した。刊行会の発展の上でも心強く、学問の継承の上でも、大変喜ばしいことである。

＊

ここまでが、第七期の刊行決定直後に、ご他界なさった鳥越文蔵先生のご執筆によるものである。

今回も、「集成」の続刊を準備する間に、日本学術振興会から令和四年度・五年度科学研究費補助金及び令和六年度学術研究助成基金助成金の交付を受け、浄瑠璃正本の調査、デジタル・アーカイブ拡充に向けてのデータ作成を進めることができた。さらに日本学術振興会令和六年度科学研究費補助金研究成果公開促進費の助成にも恵まれたので、引き続き玉川大学出版部により「義太夫節浄瑠璃未翻刻作品集成」第八期として、十一作を刊行する運びとなった次第である。

なお、第八期の原稿作成最中の令和四年に、正本刊行会において長くご指導くださった内山美樹子先生が逝去された。先生からは「集成」の収載作品として、戦後数十年間に刊行された文学全集等に収載された作品も近年では入手しにくくなってきたことを鑑み、それらに収載された翻刻作品も改めて取り上げるべきとの方針をお示しいただいた。本研究会はその方針にのっとり、今期以降作品を選定していくこととした。

終わりにこの「集成」刊行にあたって底本を提供してくださった、大倉集古館、国立劇場、松竹大谷図書館、天理大学附属天理図書館、東京都立中央図書館加賀文庫、文楽協会豊竹山城少掾文庫、早稲田大学演劇博物館、諸本の閲覧を許された所蔵者・機関各位に篤く御礼を申し上げる。

令和六年　六月

義太夫節正本刊行会

目次

凡例

一、底本　出来得る限り初板初摺の七行本を用いた。

一、作品名　内題によった。

一、校訂方針　底本を忠実に翻刻することを原則としたが、次のような校訂を施した。

1　丁付　丁移りの箇所は本文中に「（　）」を施し、その中に実丁数を洋数字で示し、表「オ」、裏「ウ」の略号を付した。

2　文字　①平仮名、片仮名とも現行の字体を用いた。

②常用漢字表、人名漢字表に収録されているものはその字体を使用することを原則とした。ただし、一部底本の表記に従って複数の字体を使用したものもある。

(例)　回／廻　食／喰　杯／盃　竜／龍　涙／涕　婿／壻／聟

③特殊な略体・草体・合字などは表記を改めた。

(例)　→様　→部（ただし夕→夕べ）　→候　→郎

→参らせ候　→給　→也　→こと　→こゑ

↓より　↓かしく　↓まゐる　↓さま

④踊字は、原則として平仮名は「ゝ」、片仮名は「ヽ」、漢字「々」に統一した。ただし「〱」は底本のままとした。

⑤仮名遣い、清濁、誤字、衍字は底本のとおりとした。

⑥＊は原本の「ママ」の意であるが、極力付さないこととした。

3　譜　墨譜は全て省略したが、文字譜は全て採用し、本文行の右、または振り仮名の右の適切と思われる位置に付した。

4　太夫　語る太夫を指定した略号は、それを「□」で囲い、文字譜の位置に付した。

5　句点　「。」で統一した。

6　破損　底本が破損などにより判読不能の場合は、同板の他本により補ったが、一々断ることはしなかった。

7　改行　本文は曲節等を配慮して適宜改行した。

一、解題　底本の書誌、番付・絵尽の有無（『義太夫年表　近世篇』に依拠）、初演年・劇場、主要登場人物、梗概で構成し、補記として校異本に触れることもある。

花筏巌流島

月本鑓梅
幸崎鬼移

花筏巌流島

序詞 昔《むかし》の日《ひ》双《ふたり》の閨《ねや》。恒《つね》に夜《よ》の短《みじか》きを嫌《きら》ひ。今宵独《こよひひとり》臥《ね》する時は。実《げに》更《よ》長《ながき》を怨《うらむ》とは。韓寿《かんじゅ》を賦《ふ》せし恋草《こひぐさ》の。張文《ちやうぶん》
成《せい》が古語《ふるごと》の。種蒔初《たねまきそめ》し瑞籬《みづがき》や ヲロシ 地中 花落《くはらく》の東《ひがし》に ウ 鎮座《ちんざ》有ル ウ 祇園《ぎおん》の社《やしろ》神々《かうぐ》し。
臨時《りんじ》の祭《まつり》の勅使《ちよくし》として。ハル 松ノ木中納言《ちうなごん》冬満卿《ふゆみつけう》。ウ 兼《かね》ては豊前《ぶぜん》の国宇佐《くにうさ》の ウ 宮《みや》に奉幣使《ほうべいし》を 中 蒙《かうむ》り。ウ 御ン下向《げかう》も近《ちか》付ケ
ハル ばけふ参籠《さんらう》の ウ 席《せき》において フシ 御沙汰《さた》。とりぐ（1オ）区々《まち》なる。地色ウ 御ン供の人々には豊前《ぶぜん》の国主《こくしゆ》ウ 大橋民部《みんぶ》ノ大夫。
ハル 同ク嫡子《ちやくし》靫負介執権轟《ゆきゑのすけしつけんとゞろき》ウ 中 和田《わだ》右衛門。御ン ウ 副《そへ》人には ウ 豊後《ぶんご》の城主《じやうしゆ》朝《あさ》山主計《かずへ》ウ いづれも帝都《ていと》の ハル 在番《さいばん》より。ウ 帰国《きこく》を

直《すぐ》に供奉《ぐぶ》の役末座《ばつざ》に並《なら》ぶは船越内膳《ふなこしないぜん》。大橋の家の惣領《そうりやう》ながら国を継《つが》ざる憤《いきどをり》。面《おもて》に顕《あら》はす丱《つのがみ》は一ッ子同苗《どうめう》

大蔵とて。唐犬額《たうけんひたい》の苦面《にがみつら》いかつがましく相詰る。

中納言殿正笏《しやうしやく》し。抑《そも〳〵》奉幣使《ほうへいし》は。祈年穀《きねんこく》の官幣《くはんぺい》と申て村上の御宇。康保《かう》三年に始《はじま》る。則《すなはち》黄色《きいろ》の紙を

以ッて宣命《せんみやう》を添《そへ》給ふ事先例《せんれい》也。詩経《しきやう》にも孟春《まうしゆん》の頃《ころ》上帝《てい》に（1ウ）穀《こく》を祈《いのる》と註《ちう》せり。皆是五穀成就《こくじやうじゆ》万ン民快《け》

楽《らく》の勅願《ちよくぐはん》なれば。御代万歳武運長久《ばんせいぶうんちやうきう》の基《もとい》ならずや。武門ンに列《つらな》る面々《めん〳〵》折柄《おりから》の在番《ざいばん》。勅《ちよく》に随《したが》ひ奉るは時の

幸ィ。追ッて良辰《りやうしん》を撰《ゑらみ》発足《ほつそく》せん。旁《かた〴〵》其旨用意《むねようゐ》有レと宣《のたま》へば。

民部《みんぶ》ノ大夫承はり。仰のごとく能キ折柄《おりから》の在番にて勅使《ちよくし》を供奉《ぐぶ》する身の大慶《けい》。冥加至極《めうがしごく》と一礼のべ。扨此

民部が悦びは。帰国《きこく》次第是成ル躮《せがれ》靫負《ゆきへ》ノ介に。家国を譲《ゆづり》申せと将軍家《しやうぐんけ》の御諚《ぢやう》。則チあれ成ル朝山主計《かずへ》殿の

妹。駒笛《こまふへ》姫と申スを躮に娶《めあは》せ。在京の間に婚礼《こんれい》も取リ繕《つくろ》へば。早両国は聟舅《むこしうと》。家に伝《つた》はる世継《よつぎ》の綸旨《りんし》。月本

（2オ）幸崎《さゝき》の両人旅館《りよくはん》において守護《しゆご》致せば。此民部《みんぶ》は今よりして隠居《ゐんきよ》同前。ノウ主計《かずへ》殿と余念《よねん》もなき悦

びに。

詞 いか様此主計も妹が縁に連レ。同役を承はる身の面目《めんぼく》。地ウ 猶も両家水魚《すいぎよ》のごとくウ因《ちなみ》をなし勅 使《ちよくし》の御供仕らん。御ハル年老《ねんらう》の民部公万ン事ウお指図《さしづ》下さるべしと。詞の央《なかば》ウへ指出る色内膳《ないせん》。詞ヤア主計殿。此席《せき》に列《つら》なる中年老《としかさ》は此内膳。大殿の為には兄なれ共親の遺言《ゆいげん》を守《まも》つて。漸《やう〳〵》三万ン石《せき》を領《れう》して家老《からう》同然。コレ主計殿。一ッ国を治《おさむ》るお身柄《がら》に似合ぬ。万ン事指図《さしづ》を請ふとは何ンの事。惣じて勅使の饗応《けうおう》は格式《かくしき》が有ル物。御存ない事は某《それがし》が指図致さふと。地ハル出ほうだい成ル詞の内。ウ靫負《ゆきへ》ノ介は舅《しうと》の手前ウ笑 止《しやうし》（2ウ）さ余《あま》りイヤ色中内膳殿。詞尤父民部《みんぶ》為にこなたは御舎兄《しやきやう》なれ共。遺状《ゆいじやう》に依《よつ》て中津の領主《れうしゆ》。一チ郡《ぐん》の主ジながらも家老並。それに何ぞや憚《はゞかり》もなき裁配《さいばい》と。フシ寄《よら》ずさはらぬ強異《こはゐ》見《けん》。

地色ハル 聞て色居ぬ内膳。詞ヲヽ、表向キは家老なれ共内証《ないしやう》は伯父《おぢ》甥《おい》。其伯父に向カつて過言《ごん》千ン万ン。今一チ言いふてみよと面色《めんしよく》筋をあらゝぐれば。大蔵暫《しは》しと押シとゞめ。親人がいはるゝは畢竟《ひつきやう》一ッ家のよしみだけ。それを悪ふ聞なして口答《ごたへ》せらるゝと。こつちからもいふ事有と角芽《つのめ》立。傾城《けいせい》狂《くる》ひの放埓《ほうらつ》も云兼まじき面魂《つらたましい》。靫負《ゆきへ》は刀に手をかけて気色変《かは》れは和田右衛門。一チ大事の此場所《ばしよ》遺恨《ゐこん》有てはお為にならずと。あなたこなたを宥《なだめ》ても。互に募《つのる》水かけ論《ろん》。民部ノ大夫声を上ケ。（3オ）大切ッなる勅使の前双方《さうほう》共に無益《むやく》の論《ろん》。尾籠《びらう》也と有ければ。ハツト計リに恐《おそ》れ入座席《させき》のしらむ朝山主計。和田右衛門に打向ひ。某は是に残り役人に云渡す子細有リ。御辺ンは神ン前御拝の案内急がれよと。仰にハツト心得てイサ御立と木綿襷《ゆふだすき》。千《ち》早《はや》振《ふる》鈴《すゝ》神楽《かぐら》の音ト勅使は花の都人。大橋船越親子連《づれ》築紫《つくし》育《そだち》のむくつけき。中に勇有轟《とゞろき》が礼義を〳〵紏《たゞ》し入にける。跡に主計は只一人リ警固《けいご》厳敷《きびしき》身の役目。矢立テ取リ出し張くりひろげ心の覚へこま〴〵と。書尽《かきつく》されぬ。真《ま》砂路《さごぢ》をいきせき来る絹被《きぬかづき》。先キには人の有ぞ共思はずしらず跲《つまづき》て。かつぱと転《まろ》ぶ空炷《そらだき》に。主計驚《おどろ》き何者成ぞと咎《とがむ》る声。ヤア兄上かと被を取レば駒笛姫。（3ウ）主計は猶も心得ず。見れば供も召シ連《つれ》ず徒《かち》はだしの体《てい》合点行ず。子細いかにと尋られ。さればとよけふはお前もお出と聞。人目を忍び参りしは。靫負様と縁切ッて国へいにたい私が願ヒ。様子はあれど爰ではいはれぬ。ア、心せかれやとおろ〳〵したる身のそぶり。主計は眉《まゆ》に皺《しは》をよせ。コリヤ妹。跡先キもいはず合点もさせず。縁を切とは何の戯言《たはこと》。両家共に遙《はる》々の在《さい》京《きやう》といひ。殊に今日は勅使の供先キ。非常《ひじやう》を糺《たゞ》す身が役が目に見へぬか。成ル程不審《しん》は御理《ことは》り去ながら。世間ンの縁付キ嫁入は姫ごぜの身の一チ大事。夫トに傅《かしづ》き親々を敬《うやま》へとの教《おしへ》成ルに。いか成事にや自《みづから》夫婦の盃かはしてより。靫負様に添《そひ》とむなくどふぞして去《さら》れたい。国へいにたい〳〵と泣あかしたる（4オ）けふの首尾《しゆび》。館《やかた》の留主《るす》を幸に漸《やう〳〵》と参りしが。お前のお目にかゝりなばお呵《しかり》にもあふ覚悟《かくご》と。胸を居《すへ》たる一チ言《ごん》に。主計も心をいためる折柄。

中門《ちうもん》の廊《らう》に忍び居て始終《しじう》を立聞ク靫負ノ介。しづ〳〵と立出。夫トを嫌《きら》ふ不所存《しよぞん》者押シ出しては国家の大事。丸ふ納る思案有と。落たる矢立テ追ッ取ッて手水鉢《てうづばち》に立かゝり。手拭《てぬぐ》ひにさら〳〵〳〵。書キ認《した》めてノウ主計殿。御覧有レと指出せば。請取ッてとつくと見。コリヤ去リ状。シテ手拭《てぬぐ》ひの心はな。ホ、ウ悪ク縁によごれし靫負。女に嫌《きら》はれ世上へ顔が出されふが。人の譏《そしり》も身の鬱憤《うつぷん》も。堪忍《かんにん》といふ汗《あせ》を拭《ぬぐ》ひ落せば恥もなく垢《あか》もなく。清浄《しやうじやう》と成ル手拭ひの去リ状と。いふに主計は打黙《うなつ》き。御了簡《れうけん》の去状忝いと取リ（4ウ）納《おさ》め。刀するりと抜放《ぬきはな》し。今請取ッた去状。儕レが心は嘸《さぞ》本ン望《もう》。女房に嫌《きら》はれて靫負殿の武士はどこで立ッ。ヱにつくいやつ。聟殿の目の前無念《むねん》を晴《はら》す観念《くはんねん》せよと。ひらめく刀に恐れもせず姫は覚悟《かくご》の目に涙。何事も靫負様御了簡《りやうけん》あるからは。生キて居る程恥の恥兄上の手にかゝるが。此上の申訳《わけ》サア殺《ころし》て給はれと。身を摺《すり》寄スればヲ、出かしたと。ふり上る刀の下靫負ノ介わけ入ッて。ハア、これ〳〵。神ン前といひ大切ッな御用を拘小《かゝへさゝい》の事に血をあやし。後日の祟《たゝり》は何ンとなさるゝ。かうした事もさせまい為。互の武士も立ふ為只今の去リ状。ナ是非《ぜひ》御得心《とくしん》参らずば御勝手次第。此靫負切ッ腹致す分ンの事と。生ケず殺《ころ》さぬ手拭《てぬぐ》ひの。謎《なぞ》はとけても主計が胸。此場《ば》の納《おさ》（5オ）めはハツア、そふじやと。妹が黒髪《くろかみ》惜《おし》げもなく。ふつつと切ッて投ケ出し。兄夫トの心を背《そむ》く徒《いたづら》女。果《はて》は尼乞食《あまこつじき》の倒《のた》れ死。勘当《かんどう》じや出てうせうと突放《つきはな》し。刀を鞘《さや》に納る思案《しあん》。

ハア、適々《あつはれ》。是で靫負が所存も立ッ。スリヤ御得心《とくしん》でござるかな。コリヤ妹。命代《がはり》の勘当。有リ難《がた》いと悦んで早行ぬか。うろたへて居るとナ志《こゝろざし》がむそくに成ルがと叱《しから》れて。是非《ぜひ》もなく〳〵立上り。そんなら兄様おさらばと。いへど主計は見向キもせず。夫トの傍《そば》へ立よれど顔を背《そむけ》て得もいはぬ。身のうさつらさ憂《うき》名残涙を胸に望《もち》月の。駒《こま》も牽《ひか》るゝ片手綱たどり〳〵て出て行。

跡見送クりて靫負ノ介。ナフ主計殿。何事も此座限《ぎり》。役義の間は元のごとく。やつぱり聟也舅《しうと》殿。イザ御同道《どう〳〵》(5ウ)申スまいか。いかにも〳〵其通り。聟殿お先へ。然らば一ッ所に参らんと。心とけては角《かど》もなく玉がき深《ふか》く 〽入にける。

早暮初《くれそむ》る夕浄《ゆふきよめ》。御燈《ごとう》の光りしん〳〵と。神さび心も澄《すみ》渡る。私用《しよう》有ッて立帰る舟越内膳《ふなこしないぜん》。大蔵も引添《そひ》出。

ヤア者共云付ケた通リ駒笛をぼつかけて連レ来れ。早く〳〵と下知《げぢ》すれば。内膳押シ留《とめ》。離縁《りゑん》した駒笛。何ン時でもこつちの物せくな〳〵。イヤこれ親人。此大蔵が何いふても。せくなとお留メなされて。いつ迄事

をお延《のば》しなさるゝ。今宵《こよひ》勅使のどさくさ紛《まぎ》れ。大殿民部を。シイ音高しと辺《あたり》を眺《なが》め。ヤア家来共。旅宿《りよしゆく》へ
参れと残らず遠ざけ。
サア時節《じせつ》も有レば有ル物。勅使下向《けかう》を云ィ立テ。彼継目《かのつぎめ》の綸旨《りんし》上覧《らん》に入レる間。持参《ぢさん》（6オ）致せと。月本
幸崎《さゝき》が旅宿《りよしゆく》へ人をつかふたれば。追ッ付ケ来ル筈ハテ民部親子を仕《し》廻ても。肝心《かんじん》の物がなくては骨折損《ほねおりぞん》。預
りの両人を賺寄《すかしよせ》。綸旨《りんし》をこつちへしてやれば。辛労《しんらう》せずに家国は自然《しぜん》と手に入。何ンとよい分別《ふんべつ》で有ふが
など。語れば大蔵笑壺《ゑつぼ》に入。うまし／＼と打黙《うなづ》き。己《おの》が悪事に風騒《さは》ぐ。真葛《まくづ》が原の並木《なみき》伝ひ。
夜道を照《てら》す挑燈《ちやうちん》の。紋に印シを月本定之進《さだのしん》。上下モ立派《りつぱ》に一チ僕《ぼく》の。与五郎を召シ連レて。来かゝる向ふへ。
幸崎巌流《さゝきかんりう》。大橋の家老職《からうしよく》。一二を争《あらそ》ふ苦味《にがみ》作り。定紋付たる挑燈《ちやうちん》に辺《あたり》も輝《かゝや》く象眼鍔《ざうがんつば》。糸平といふ草履《ざうり》取リ
お召シによつて参上と。双方《さうほう》一チ度に畏《かしこま》る。
内膳二人に打向ひ。此度奉幣使下向《ほうへいしげかう》（6ウ）あらば。民部は兼て隠居《ゐんきよ》の願ひ。家督継目《かとくつぎめ》の綸旨《りんし》。中納言殿

へ御覧に入レる。内膳に内見《ないけん》せよと有し故。鑰預《かぎあづか》りは幸崎巌流《さゝきがんりう》。守護《しゆご》の役は定之進。先キ達ッて云やりしが。地ウ持参《ぢさん》せしかと色尋れば詞定之進。成ル程お使者の趣《おもむき》心得ては候へ共。大殿隠居の義は格別《かくべつ》。是迄勅使へ綸旨《りんし》を上覧《らん》に入レたる先例《せんれい》なし。家督《かとく》譲《ゆづ》り相極り候はゞ。預リの我々へ。民部様より直キに仰有ルべき筈。何共其意《ゐ》得がたき故。巌流《かんりう》殿と申合せ。大殿へお窺《うかゞ》ひ申さん為。又ツ。内膳公にもお待チ兼と存ジ。只今伺公《しこう》仕るナフ幸崎《さゝき》殿と挨拶譲《あいさつゆづ》れば。実《げに》左様巌流も其心と。地ウ気の毒《どく》顔を見て取ル内膳。ウ双方《さうほう》の挑燈《ちやうちん》是へ持テと引ハル寄セ〳〵。ウ瞤《めくばせ》すればこなたも色心得。詞ヤイ与五郎（7オ）先キへ帰れ。糸平も立帰れと。地色ハル主人の仰に二人の奴。色ナアイ〳〵もウ不審《いぶかし》ながら。フシ心を残し帰りける。

地ウ其隙に内膳用意《ようゐ》の矢立テ取出し。ウ定紋《ちやうもん》付たるウ其上に心といふ色字をしつかと書。詞いかに面々《めん》。此提燈《ちやうちん》に灯《ひ》の消《きへ》ざるは。五行《ぎやう》備《そな》はつて人の魂《たましゐ》。又定紋はわれ達チが魂。其魂に我自筆《じひつ》を以て心を込《こめ》しは我執着《しうちやく》。此心の上に善といふ字を書ケば善心ン。悪を居《すへ》れば則チ悪心ン。身が家国を押領《おうれう》せん為。綸旨《りんし》内見ンと偽《いつは》り奪《うばひ》取ん計略《けいりやく》と。われ達が奥念ンに見すかされ。今日生キて何面目《めんぼく》。我カ魂の善悪は両人が胸中《けうちう》。善共悪共云ッてみせよと指寄スれば。月本幸崎顔見合せ。善といはば綸旨を渡せと有ルは治定《ぢぢやう》。又悪成リといはん時は。打果さんと心に悟《さと》り黙然《もくねん》と。互に心を探《さぐり》（7ウ）題《だい》。難題重《だいかさぬ》る計也。

大蔵は膝《ひざ》立テ直《なを》し。ヤア両人何迚隙入レる。返答《へんたう》いかにと気をせけば定之進。ナフ幸崎《さゝき》殿。貴殿《きでん》は何ンと思召ス。サレバ〳〵。拙者《せつしや》ごときの愚案《ぐあん》には。イヤ我迚も其通リ。ハア、何とぞ三日の日延《のべ》仰付ケられ下さればなば。善悪の二字。急度《きつと》書キ顕《あら》はし指上べしと。巌流《がんりう》共に願ヒける。ム、然らば三日の日チ限延《げんのべ》てくれる。違《ゐ》乱《らん》に及ぶと所存が有ルが合点か。ハット両人領掌《れうじやう》し。挑燈《ちやうちん》伝手《てんで》に提《ひつさげ》て。左右に別るゝ心と心。善と悪との二つもじ。牛《うし》の角文字。直《すぐ》ならぬ道を。てらして〳〵別《わか》れ行。

末の世に。身を放埒《ほうらつ》に持テよ迚。教《おし》へはせじなせきれいの。恋の道もせ踏迷《ふみまよ》ふ。其島原に隠れなき。花菱《びし》屋が座敷には。大丸屋の花浦を根《ね》引の大尽《じん》御入迚。奥口ざゞめき賑《にぎ》（8オ）はへり。

ハルキン金故に。ハルフシ捨る命の。色定めなや。地色ウ大丸屋才右衛門何心なく座敷《ざしき》より。中フシいそ〳〵として立出る。地色ウ斯と見るより若党段介ハル庭木のかげより中立出て。ハル無二無三に切てかゝるを才右衛門色飛すさり。詞ヤア身に覚ないぞ聊爾《れうじ》なさるな。シテまあこなたは何人じや。ヲヽ身は船越内膳が家来段介といふ者。儕レが最前《さいせん》靫負《ゆきへ》殿に請取た。花浦が手付ヶ金五十両。其金がほしいのじや。おれが為には宝《たから》の山。地ハルそつちの為には剣《つるぎ》の山。ウ観念《くはんねん》してサ色ア渡せ。詞サ渡す程に抜身を納《おさ》めい。地ウサア〳〵〳〵と付ヶ廻され。ハル透を窺《うかゞ》ひ逃ヶ出すを。ウやり過して中後《うしろ》げさ。ウヤレ人殺《ころ》しといふ口おさへ。ぐつ〳〵とゐぐりハル返せば手足をもがき。ウ非《ひ》業《ごう》の災難《さいなん》才右衛門フシあおち死こそ。むざんなれ。

地色ウ懐《ふところ》の金引たくり死骸《しがい》を隠《かく》す所はいづく。（8ウ）詞ヲヽ幸ィな庭《には》の井戸。地ウシヤまつかせと引ンだかへ丼　投込《どんぶりなげこみ》。ハル音に悩《びつく》り耳《みゝ》ふさぎ。ウ猿《さる》が筍《たけのこ》　盗《ぬす》んだ様に。ウこは〴〵傍《あたり》の血汐《ちしほ》に砂《すな》を。フシ打かけ〳〵。詞扨此金は。先ッ懐《くはい》　中《ちう》致してと。地真《ま》懐《ほところ》へハル押シ込メば裾《すそ》へ色すつほり。詞ヤかう抜《ぬけ》ては面倒《めんだう》。ハア肌《はだ》に付ヶる事悪ルしと。ムウどこぞ隠し所が。ヲ、夫レよく／＼と座敷へ上り。衝立《ついたて》のかげに隠して打眺《なが》め。イヤ／＼鼠《ねづみ》が引ませうと。うろ付ク中チに奥の間で。早打かけるてんぷつぽう。なむ三殿のお慰《なぐさみ》釣狐《つりきつね》が始るそふな。ア、どこに置ふなと。持チ付ぬ金持テあぐみうろ／＼見廻し。ヒヤア一ッ生《しやう》の智恵《ちゑ》が出たと。衝立《つい》テの色紙《しきし》短冊《たんざく》引めくり。かしこに有リ合フ鏡台《きやうだい》の。びん付ケ取出し即座《そくざ》のそくゐ。べつた／＼と太鼓《たいこ》張《はり》。てんふつぽうの鳴度《なるたび》に。悔《びつく》りびくりきよとついて。色紙《しきし》の下へはりふ（9オ）さぐ。小判の耳《み、》は隠せ共遁《のが》れはあらし天道の。編笠《あみがさ》着たる侍イが。庭の小かげに。窺《うかゞ》へば。奥より船越大蔵が出合頭《がしら》に見て見ぬふり。始終《しゞう》の訳《わけ》を両人が。見る共しらず段介は奥を。ヘさしてぞ入にける。

天にあらばひよくの鳥。地にては連理《れんり》の枝しげる。花浦がしこなしに。心もとけし靫負ノ介。浮世。出立に。思ひ付ク。手拭《てぬぐひ》かけの狐《きつね》わな。色文付ケて携《たづさ》へ持。罷リ出たるは。とつと田舎《いなか》のやぼ大尽《じん》でござる。此島原に遊君あまた有ル中。何にたとへん物いへる花。其花浦といふ白狐を釣《つり》よせ。けふは此奥座敷で。取ッ

てしめふと存る。ヤ。先ッわなを爰らに。ヤア。くるは〳〵。さつてもはでな化《ばけ》やうじや。半中ハル 釣《つゝ》てくれんと
衝《つい》立テのかげに。フシ 忍びて待チ給ふ。
歌ハル 鳥もなく。ウ 鐘《かね》も聞へぬ。ウキン 里もがな。合下 二人リ寝《ぬ》る夜の。宿と（9ウ）せん。合上 其恋やどす色里に。半太夫 ハルフシ ならび名
高き。ナヲスウ 花浦が。中ウ 位《くらゐ》栄《はへ》有ル道中姿。フシ しとやかに。詞 是は此廓《くるわ》に住居《すまゐ》致す。花浦といふ傾城《けいせい》でござんす。
ホ、、、。ヲ、ほんに恥しい事ながら。二世と云かはした殿御の悪性《あくしやう》。傍輩《ほうばい》の女郎様方はいふに及ばず。
廓《くるは》中の大夫新造《しんざう》を。それは〳〵一チ日も気の休《やすま》る事ではない。夫レでけふは彼《かの》男に。きつと異見《ゐけん》を致さふ
と存る。誠に定めなき物は。殿御の心と秋《あき》の日和《ひより》とはよういふた事。ヲ、つい来た程にの。物申《ものも》。案内《あんない》も
う。アラ奇特《きどく》や。表《おもて》に案内と有ル。地ウ ヱ、大夫かと靫負《ゆきゑ》ノ介。フシ 寄添《よりそひ》給へばじつと見る。ウ ハル 君が目元は恋のわな ウ フシ 釣《つり》
人《て》や先キへかゝるらん。
地色ウ サアけふこそはしつぽりと手を取レば ハル 色 ふいとして。詞 気の多い徒《いたづら》男。此後チ外の女中様ンを釣《つる》事。ふつ〳〵

とやめな（10オ）さるお心かへ。是はめいわく。そさまをのけて誰ﾚをいの。ヲ、うそ。其わなの付ヶ文の。美《うつく》しい手でやさしい文章《ぶんしやう》。いかな女中もついなびく。末とげぬ事にいかひ殺生《せつしやう》。其わな早ふ捨なさんせ。ヲツト合点。ソレかふか。そふ共〳〵。それでわたしが心にかゝる山の端《は》もなし。歌ウ小歌ぶしにて帰ろやれ。どつこいかへさぬそりやつれない。そもじの頼みで大事のわなを捨たかはり。こつちの頼は奥の間で。玉《たま》藻《も》の前が玉の膚《はだへ》。夜着《よぎ》の下に追伏《おつふせ》られて。引寄抱《よせだき》しめ自由自在《しゆうしざい》になすのゝ原の。ソレ。語ﾘの段が望じや。ヲ、はづかし。そりや晩《ばん》の事。ムウ扨は昼狐《ひるぎつね》お嫌《きらい》か。然らば今宵《こよひ》ﾙの殿で釣《つり》かけふ。サア暮ﾙ迄は扇の手。所望《しよもう》〳〵。女子共酒もてと。地ハル無理《むり》云かけて横《よこ》に成。フシいなさぬ手くだ膝枕《ひざ》。地色ウ友女郎が酌《しやく》とり〳〵。（10ウ）ウぜひ一ハルさしとせがむにぞ。ウ心の内にウ義理有ｯて中寝ﾙ事延《のば》す間に合ｨに。詞ハア、何をがな。ヲ、それよ。今様《やう》のこんくはい。地ウ声おかしくも拍子《ひやうし》取。三下リ歌ハル我思ふ〳〵。中キン願ひの。ウ雲もウ吹ｷはれて。中いのふやれ。ウ戻ろやハルれ足を。上つま立。合ちよこ〳〵ちよこ〳〵走に。中キン小池の小溝《みぞ》になぜ。合下上の〳〵。

畔《あぜ》道は。近《ちか》　ふてよい〳〵けれ共。殊に。〳〵闇《やみ》の夜でまつくろ〳〵。〳〵。黒犬《くろいぬ》が恐《おそ》ろしや。合点〳〵そなたも合点我等も合点ほんぼにそれはな。腹が立やら合点〳〵そなたも合点やつくるり。くるり。くる〳〵廓《くるは》の乱《みたれ》　髪昔《がみむかし》は花の。江戸京難波に名を得たる都白ラ菊名取のめん〳〵。きんぶ長門に小泉さんごやしこなし女郎。つまの相図《あいづ》に外ト明て馴染情《なしみなさけ》も鳥の声忍びこいとて小声で招《まね》く。此（11オ）事共が洩《もれ》聞へ若此《もし》里で浮名立なば。間夫《まぶ》を妹の女郎に預ケ。だてのおろせと指かため先陣後陣《せんぢんごぢん》は其場《ば》のかけ引。奥州恋《おうしうこひ》路《ぢ》に胸を打我儘《まゝ》酒に酔乱《ゑいみだ》れ。遠《とを》く逃《にぐ》るを続《つゞけ》て呑《のま》せ。近《ちか》く来るをむたいにおさへ向ふて来らば其場の大酒。実《げに》も〳〵あら面白《おもしろ》や小笹《おざゝ》しのはらかき分ケ〳〵。世を忍ぶ身の隠れ笠細《ほぞ》道しとろに。我ふる里へ帰ろやれ我ふる。ヤそれはどうよくつれないと。靫負介取リ縋《すが》り。とかく古巣《す》へいにたがる白蔵主《はくざうす》。どふでも今ン夜は釣負《つりおゝ》せて抱《だい》てねる。イヤ〳〵〳〵〳〵主シ有ルお前に請出され。枕かはせば義理立ずかはらず廓《くるは》へ来さしませ里の勤は是非《ぜひ》もなし。昆布《こぶ》に山椒《さんせう》。茶《ちや》計リ。〳〵さらばへとひかゆる。袂《たもと》　ふり切て次の。一ト間へ立出しか。
詞 アレ〳〵誠の白（11ウ）蔵主様が見へるはいな。トレ〳〵ほんに白蔵主。地ウ 是へ〳〵と招《まね》ウ かれておもはゆ ヲクリ
フシ へながら入くるは。地ウ 夫《つま》に別レてうきねなくウ 駒笛姫はハル いとをしや。あたら黒髪そぎ尼のウ つむりには禅頭巾《せんつきん》。中
鼠衣の袖巻ィて悟《さとり》切ッたる。フシ 其風情《ふぜい》。地ハル 靭負ノ介行義《ぎやうぎ》を色 正《たゞ》し。詞 何人かと思ふたりや尼の貞玉《ていぎよく》殿。何ンと思し
て御来臨《らいりん》と。地ハル 挨拶《あいさつ》あれば。詞 破顔微笑《はがんみせう》し。座禅勧法《ざぜんくはんぼう》の床《ゆか》に。祖師《そし》大師に誓《ちかひ》を立無常《むじやう》を観《くはん》ずる窓《まど》の前。此所
よりお使。地ウ それ故伺公《しこう》ハル 致しましてご色 ざります。詞 ハテ行《おこな》ひ澄《すま》してこざる所。お邪魔《じやま》で有ふにたが呼《よび》にやつた
ぞい。イヤそりやわたしが呼に上ヶました。庵室《あんじつ》計リはお気詰《つま》り。お心の晴《はれ》る為お前とわたしがけふの趣向《しゆかう》。
お慰《なぐさみ》に御《ご》覧《ろ》じやる様にと思ふてな。ヲ、こりや出来た。ヤけふの趣向《しゆかう》（12オ）余《よ》の義にあらず。彼《かの》お勅《ちよく》
使《し》が宇佐八幡へお出に付キ。親父は禁裏《きんり》の御用に行カれた。其留主《るす》事に廓《くるは》へ出かけ。大夫を呼寄《よびよせ》こんくはい
の狂言。我等は釣人《つりて》。釣リおふせて抱《だい》てねる所が口伝口説《くでんくとき》の段。追ッ付ヶ始る幸ィな貴僧のお出。地ウ 桟敷《さじき》で成リ

と場《ば》で成リとウ御覧なされ。何とうまいか〳〵と。ハル現《うつゝ》もなげに云ィかけてもフシしろりとしたる悟道《ごだう》の体《てい》。
詞スリヤ狐《きつね》を釣リおふせて。抱《だい》て御寝《ぎよし》なるをわしに見いでござんすか。ア、、ア、勿体《もつたい》なや〳〵。覚悟《かくご》して
尼に成た此身。仮《かり》にも殺生《せつしやう》な事を見て。なんと胸がさばけふぞと。地中外面似菩薩《げめんにぼさつ》内心のやらハル腹立を押シ隠《かく》し。
ウお暇申スと立上ればウ靱負介色押シ留メ給ひ。詞いか様そふじや。此尊《たつと》い尼御に殺生は不調法《てうほう》。地ウイザ先ッ是へと（12
ウ）ハル上座色へ直《なを》し。詞女共。随分《ずいぶん》奇麗《きれい》に火水を改《あらた》め。地ウ御酒一献《こん》とハル指図《さしづ》に連《つれ》て花浦は。フシ三方かはらけ指出し。
詞此様に殿様と心よふ添《そふ》といふもお前のお情。其お姿を見る度にわしや悲しうて〳〵。コレ〳〵花浦。あの
姿見てはおれも悲しい。此中祇園《ぎおん》の社内《しやない》にて。兄貴の主計殿に逢《あふ》て。靱負介と夫婦の縁。切て下さんせと
いふてたも。そこへおれが出て実事《じつごと》やりかけ。去リ状やつと互ィの約束《やくそく》。首尾《しゆひ》よふいた所が尼姿。思ひかけ
ない事ながら。ヱ忝いと心で戴《いたゞ》き。扨親父に逢《あふ》て。御覧《ごらう》じましたか。なんぼ云号《いひなづけ》さつしやつても。男嫌《きら》ふ
て立帰る女靱負ノ介一チ分ン立タぬ。腹切ラねばなりませぬ。しかし気に入た女房持タして下さるか。サそれは。

サア／＼何ンと、詰《つめ》かけて。親父に理詰をくらはせ。（13オ）天井《じやうぬけ》抜の傾城狂《けいせいぐる》ひ。花浦を手に入レたも。皆是貴僧《きそう》のおかげ故。なむ貞玉 生如来様《ていきよくいきによらい》拝《おが》みや／＼。ア、わたしや常 住《じやうぢう》おがんで居る。尼に迄成ッてふたりが中。取持て下さんす御本ン妻《さい》様。広《ひろ》い世界に又と有ルまい。結《むす》ふの尼様ンお礼は詞に。尽されぬと。手を合すればわつけもない。其お礼聞度に胸がせまつて嬉し悲しい。所詮《しよせん》命のかはりの此尼。恩《おん》に着《き》せる心はない。ヱ粋《すい》かな／＼。コレ尼御。有様は近カ々に。大夫を請出す約束《やくそく》で。手付ケ渡した今宵《こよひ》なれば。先ッ内祝言《しうげん》の仲人《なかうど》に。貞玉尼公《にこう》お頼申。嫁仲人。随分《ずいぶん》中よふしませふぞ。サア。花浦。一つ呑ンでおれにさしや。ドレそんならお酌《しやく》は此尼。ア、お慮外《りよぐはい》 何ンのいなと。長柄《ながゑ》取上ほん／″＼に。花浦殿と二世かけての御夫婦かへ。しれた事。（13ウ）二世かけては愚《おろか》。生 々《しやうぐ》世々生キかはり死かはり女夫じや嬉しいか。ア、嬉しうござんすと。盃《さかづき》さすを尼は押シ留メ。

マア其盃待タしやんせ。待テとはへ。貞玉様何おつしやる。何おつしやらふぞいなふ花浦。ヱ、うらめしいと。睨《にらむ》目の内声するどく。コレ殿様。おれを嫌《きら》ふて縁切てくれ花浦と添《そひ》たい。此頼みいやといふと腹切との御事。太切ッな殿御殺《ころ》すが悲しさ勿体《もつたい》ない。兄様に嘘《うそ》ついて。姫ごぜの方から殿御を嫌《きら》ひ。縁切ルといはれそふな物かいの。いふた時の心の内どの様に有ふと思ふてぞ。ちつとは思ひやつてくれたがよい。わしや髪を切衣を着《き》ても殿御の事の忘られず。夢幻《まぼろし》に見る計リか人目飾《かざり》の座禅《ざぜん》の床《ゆか》。縁切ッたは嘘《うそ》未来《みらい》は必夫婦にと。祈詰《いのりつめ》る本ン尊《ぞん》様が殿様ンに見へるはいなふ。常住《しやうちう》お傍《そば》に（14オ）居る心コレ見てたもと両肌《はだ》ぬげば。はでなる下タ着《ぎ》のだて模様《もやう》殿の紋と我紋と。抱《だき》合せたる二つ紋。見るに二人は興《けう》さめて輌《あきれ》。果たる計也。

貞玉猶しも怒《いかり》の面色《めんしよく》。二世三世は愚《おろか》。生《しやう》々世々女夫じや。其かための盃。わしに酌《しやく》させ此酒呑ムのか。ならぬ〳〵金輪際《こんりんざい》もふならぬ。サア花浦が事思ひ切りや。殿様戻しやと居《ゐ》尺高《だけだか》。とゞむる女郎を突《つき》のけ押シのけ。長柄《ゑ》も短気《たんき》に踏砕《ふみくだ》き。三方取ッて投《なげ》ほふれば。其座の興《けう》も土器《かはらけ》も。みぢんに成て見へにける。

地色ハル靫負ノ介こはぐ\色ながら。詞サどふなとせう。花浦も誤《あやま》れ〳〵。マア貞玉のいふ様にと。地ハルなだめても中聞入ず。ウ衣の裳をまくり手に。ハル懐剣《くはいけん》持ッて追ィ廻せば。ウあまたの女良逃《にげ》ちつて。ウ二人をかしこに追取リ込メ。フシすてに危《あやう》き（14ウ）其所へ。地ウ定之進が母のウ親かいぐ\敷ク かけ寄ッて。ハル抱《だき》とむればヤレ嬉しや。ウ乳母《うば》よい所へウ来てくれたと中フシ始メて息《いき》をつぎ給ふ。

地ウ老女は漸《やう〳〵》色押シしづめ。詞貞玉様重々の御尤お道理《だうり》でござります。誤《あやま》りといふは靫負様。コレわこ。悪ルいぞへ〳〵。爰でももしもの事が有ッては互ィにお身の為あしく。事によつて豊前豊後《ぶぜんぶんご》両国の取リ結《むす》びと成ルまい物でもござりませぬ。老の思案《しあん》に叶《かな》はずば。躮《せがれ》月本定之進と相談《さうたん》の上。めでたふお前と靫負様。御夫婦に致しましよ。サア花浦殿の分ンも立る。マア此刃《は》物は私に。お預ケなされて下されませ。地中ウ万事はわらはが呑《のみ》込ンだハルやいのウ〳〵と詞をつくし。押シなだめたる弁舌《べんぜつ》は。ウ靫負ノ介を育《そだて》たるフシ乳母《うば》の器量《きりやう》の奥床《おくゆか》し。

地色ウしんゐの角《つの》も発気《ほつき》に折しウ貞玉尼《ていぎよくに》。こゝ（15オ）ろざしは嬉中しけれ共。詞はしたない此体《てい》。嘸《さぞ》人様のおさげしみ。何ンとながらへ居られふぞ。ア、お気のよはい。此三人より外誰知ル者なし。サア殿様先ッ奥へ。駒笛様それへお供する。思案《しあん》も有レば花浦はお次キへと。指図《さしづ》に随《したが》ひ靫負ノ介引わかれ行奥と口。障子《しやうじ》さつと押シひらき。父民部《みんぶ》ノ大夫執権《しつけん》轟《とゞろき》　和田右衛門。はつと見返るこなたの一ト間。船越内膳《ふなこしないぜん》同《おなじく》　大蔵。にがり切ッたる顔見合せ消《きへ》も。入たき心地《こゝち》也。

内膳眉《まゆ》に皺《しは》をよせ。豊後《ぶんご》の国主《こくしゆ》朝山主計殿。妹駒笛に髪《かみ》切ラせしは。傾城《けいせい》花浦と添《そは》ん為靫負ノ介の計《はから》ひよな。ア悪ルい仕様。此儘《まゝ》に指置カば朝山家の鬱憤《うつぷん》。両国矛楯《むじゆん》の中と成ルは治定《ぢぢやう》。納《おさま》りし代《よ》に鎧甲《よろひかぶと》とひしめかば。将軍家の御咎《とかめ》　家の断絶《だんぜつ》。事を納《おさむ》るは我々（15ウ）家老《からう》の役《やく》。和田右衛門了簡《りやうけん》いかにと。血《ち》で血を洗《あら》ふわんざん云かけられて胸轟《とゞろき》。指《さし》うつむいて詞なし。

民部ノ大夫つつと寄リ。扇にて靫負ノ介を丁々と打すへ。傾城《けいせい》に魂《たましゐ》　奪《うばゝ》れ放埒《ほうらつ》也と噂《うはさ》　有レど。か程には有ルましと云なだめ。一ッ家中を此廓《くるは》に招《まね》き蜜《ひそか》に様子を窺《うかゞ》へば。案《あん》に違《たが》はず此有様。是が城《じやうしゆ》主国取リのざまかやい。手討にするやつなれど。世上に面恥《つらはぢ》さらさせるが。朝山殿への面白《めんぱく》。対面《たいめん》は今日限《ぎり》。勘当《かんどう》じや出てうせいと。地ハル持たる髱《たぶさ》ずつかり色押《シ》切。詞ヤア和田右衛門。此切《リ》髪主計殿へ持参《ぢさん》し。不孝《かう》の悴《せがれ》が髻《もとゞり》を払《はら》つたれば。乱髪《らんぱつ》の非人《ひにん》。人にあらざる者に対《たい》し。御怒《いかり》は有《ル》まじ。右の次第具《つぶさ》に申。御腹立を宥《なだ》めよと。地ハル投《ケ》出す切《リ》髪ウ和田右衛門。はつと色計《リ》取《リ》上ながら。

詞御仰（16オ）畏《かしこま》つてはござれ共。外に御世継《よつぎ》もなき若殿。御勘当《かんどう》の義は今一《チ》応《おう》。ア、其義を汝《なんぢ》に習《なら》はふか。倍臣《ばいしん》下郎《げらう》の末迄も遊君《ゆうくん》に迷《まよ》ひ。放埒《ほうらつ》ならば阿《あ》房払《ほうばら》ひ。事によつて切《ツ》腹。忠臣の家がらにても没収《もつしゆ》致すが家の掟《おきて》。国の頭《かみ》の悴《せがれ》とて。用捨《ようしや》して政道《せいたう》が立べきか。達《ツ》ていへば今手討。親子の縁を切髪はまだしもの。フシ情ぞや。詞恨《うら》めしき者も有《レ》ど。今さらいふは卑怯《ひきやう》のさた。早急《いそ》げと。地ハルはつたと睨《にらむ》目に涙。ウ見るに悲しく花浦が。皆我故と有合《フ》ウ懐剣《くはいけん》取上る。ウイヤ自《みづから》が悋気《りんき》故と貞玉尼取《リ》縋《すが》りフシ二人互《イ》に死を争《あらそ》へば。地ハル民部《ノ》大夫色押《シ》とゞめ。詞花浦には親方有。自由《じゆう》には死れぬ命。駒笛迚も朝山殿へ手渡しする迄大事の命。但《たゞし》民部に腹切レか。サアそれは。サア〳〵何ンと。ハアしぬ（16ウ）にも死れぬ身の上やとくとき。泣こそいぢらしき。

内膳は思ふつぼ。心の内に笑《ゑみ》をふくみ。ア、笑止《せうし》千ン万ン去ながら。かうせねば政道《せいたう》が立ぬ。尤な取リ捌《さばき》。勘当《かんどう》とは見事〳〵。用なき所に長居は無用。ソレ侍ィ共早く参れと呼出せば。追ッ立の役人共手ンでに割《わり》竹打立れば。面目《めんぼく》なく〳〵しほれ〳〵て靫負ノ介。和田右衛門暫《しば》しとゞめ。流浪《るらう》を貢《みつぐ》餞別《はなむけ》と。衝立《ついたて》の襖《ふすま》くれば段介が。遙《はるか》に見やりきよつと顔。ちつ共ぎゝせず心しづかに打たゝみ。傾城買《けいせいかひ》の千秋楽は一ト重《ゑ》紙子。文字は則チ血筋の糸篇《へん》。氏の子の御器量《きりやう》顕はし。再《ふた》ひ御帰国《きこく》なさるゝ迄。夜寒《さむ》を防《ふせ》ぐ此紙子。和田右衛門めが寸ン志《し》計リと。涙ながらに指出す。中には小判五十両。実や黄金《こがね》と忠臣は対《つい》の宝《たから》としられたり。こたへ（17オ）兼て段介が。拙者《せつしや》御供仕らん。昼中《はくちう》に見苦《ぐる》しき其紙子。イデ持参《ぢさん》と寄ル所を。和田右衛門抜キ打に。そつ首丁ど切落《おと》す。ヤア何故の無成敗《むせいばい》と。しやくり出たる内膳を。民部なだめてアレ見られよ。

一つ穴《あな》の盗賊《とうぞく》。同類《どうるい》をいたはる科《とが》によつて切リ捨と。聞に大蔵つつと出。身が家来段介を。盗賊《とうぞく》といふ証《しやう》拠《こ》はいかに。一チ命をめさるゝは余《あま》り敷キ御計《はから》ひと。いはせも果ず和田右衛門。左程御吟味《ぎんみ》なさるゝならば。段介が科《とが》は此井の内。イデ引上ケて吟味《ぎんみ》致さふ。ア、いや夫レは。サア何ンと。ムこりや身共が誤《あやま》つたと。しつぺい返しに閉口《へいこう》し。何がな当座の意趣《いしゆ》ばらし。ソレ靫負介を追ッ払《ぱら》へ。花浦は親方に相渡せよ。急《いそ》げよやつと厳敷《きびしき》云付ケ。ハツト役人立かゝり東西へ引分クれば。コレなふ暫《しば》しと二人の（17ウ）妻《つま》。乳母《うば》諸共にしたひ寄レ共其かひも。あらき下モ部が押シ隔《へだて》わかれ〳〵に誘《さそ》ひ行。

大蔵は我恋の。かなふ時節《じせつ》としたり顔。駒笛を主計殿へ事を糺《たゞ》し帰す迄。此方へ預かると立かゝれは民部ノ大夫。イヤ〳〵大蔵そちには頼ぬ。女の事は女のさはい。駒笛は乳母に預ケる。本ン国豊前《ぶぜん》へ連《つれ》帰リ随分《ずいぶん》大事にかくまふべし。和田右衛門は其切髪。朝山の旅館《りよくはん》へ持参せよ。大切ッの使イなれば。内膳親子使者《ししや》の役。同道《とうぐ》して右の有増《あらまし》頼入ルと。弟ながらも一ッ国の。主ジの御意《ゐ》は内膳も。兄の身なれど背《そむ》かれず。ふせうぐ〱に親子連《づれ》和田右衛門に引添《そひ》行。

跡には乳母が。暇乞《いとまごひ》駒笛伴《ともな》ひ立出れば。民部暫《しば》しと呼とゞめ。此刀は大橋の。家に伝《つた》はる家次《いへつぐ》の一ト腰《こし》。躮《せがれ》靫負。放埒《ほうらつ》の心を改《あらた》め本ン（18オ）心に立返らば。直《すぐ》に此家次クを。譲《ゆづり》あたへて元トの親子。勘当の塩ふむ間に髪延《のば》し。夫婦中睦《むつまじく》親の家を次ク様に。必々なまくら物に。成リ果てくれるなと伝《つた》へよや。翌《あす》をもしらぬ老の身の。独《ひとり》の躮《せがれ》に生キ別れ。今宵《こよひ》から何たのしみに夜の目があはふ。推量《すいりやう》せよと忍び泣。何くらからぬ大名も。子故に迷《まよ》ふ舅《しうと》の心。感《かん》し入つゝ駒笛も。只伏拝《ふしおが》む倶《とも》涙。

お乳の人は詞を励《はげま》し。じひ有ル父御の御心。此家次クを別条《べつでう》なく。お届《とゞけ》申て此乳母が。育《そだて》上ヶたる若殿を上々きつすいならびなき。お大名に仕立上ヶ。お供致してめでたう国入御婚礼《こんれい》。先ッ夫レ迄はおさらば。さらば〱とかひぐ〱敷ク。老ても武家の生鮫《うまれさめ》。忠義の道はつかの間も。忘《わす》れがたなにかための切羽《せつぱ》つばめを。合せて 〽立帰る（18ウ）

地ハル
徳を以ッて勝《かつ》時は全《まつた》く力ラを以ッて勝時はウ危《あやう》しとかや。中 ウ驕邪放逸《けうじやほういつ》の船越内膳ウ一ッ子大蔵を召シ連《つれ》。ハル兼て巧《たくみ》の逆《ぎやく》
心《しん》を今宵《こよひ》の中に一ッウ決《けつ》せんと。数多《あまた》の家来に中飛道具。ウ主従《しうゞ》出立ッウ黒装束《しやうぞく》。ハル夜廻りなんどする体《てい》にてフシ鳥羽《とば》の
畷《なはて》に参会《さんくはい》す。

地色ハル
大蔵父に色打向ひ。詞弥《いよ〳〵》今晩《ばん》民部が在京《ざいきやう》の館《やかた》へ取かけ。本ン望《もう》達ッする時《じ》節到来《せつたうらい》。もと本ン国豊前の国は親人
治《おさめ》給ふべき筈《はづ》なるに。弟の身として辞退《じたい》もなく。押領《おうれう》したる民部の邪《よこしま》。天道是を罰《ばつ》し給ひ。一人リ息子《むすこ》
の靱負自然《しぜん》と勘当《かんとう》請逐電《ちくてん》。さすれば身共が心をかけし駒笛も手に入ル道理。地ウはやく今宵の夜討に打チ勝。ハル日《ひ》
頃《ごろ》の本ン望達《たん》ウぬべしフシ者共つゞけと気をいらてば。

詞
ヤア若気《わかげ》〳〵。親た（19オ）る者が了簡《りやうけん》は格別《かくべつ》。はやまつては破《やぶ》れの基《もとひ》。先ッ心がゝり成ルは幸崎巌流《さゝきがんりう》月
本定之進。此二人が心ン底様《ていためし》見ん為。善悪の二字申付ケしにいまだ返答《へんたう》致さず。民部を討ッてもきやつらが
有ては自由《じゆう》ならねば。爰に待ふせ異義《ゐぎ》に及ばゝ飛道具にて打殺し。定之進が預りの。世継《よつぎ》の綸旨《りんし》を奪《うばひ》取リ。

其上にて夜討の支度《したく》。地ウ此頃《ごろ》拘《かゝへ》し窃《しのび》の者車つかひにウ姿を略《やつ》させ。ハル両人が旅宿《りよしゆく》へ遣はしたれば追ッウ付ヶ実否《じつぷ》のし
れる迄暫《しばら》く色ひかへよ。詞アレ早向ふへ車の轟《とゞろく》音こそすれと。地ハルいひも果ぬ中折こそあれ。ウ作り道の方よりも間
近くひゞくウ二輌《りやう》の車。ハル雪道うがつウて轅《ながへ》を廻し中押シ来る。ウ腕《うで》に覚へもあらしこ共。ハル両方一度に来《き》かゝりしが。
ウかくと見るよりフシ車引（19ウ）捨畏《かしこま》る。
地色ハル内膳それぞと近く色指寄リ。詞甲賀《かうか》の平治伊賀ノ藤馬《とうま》。申付ヶたる首尾《しゆひ》はいかにと尋れば。地ハル平治ハツト色頭をさけ。
詞仰のごとく定之進が旅宿《りよしゆく》へ忍び様子窺《うかゞ》ひ候所。善悪の二字の返答《へんたう》仕らんと只今是へ参着《さんちやく》致す。藤馬殿に
は何ンと〳〵。されば候拙者めも。巌流《がんりう》が旅宿《りよしゆく》へ入込見届《とゞけ》て候へば。御誂《あつらへ》の二字の返答《へんたう》申上んと此道筋へ
早追ッ付ヶ。ホウ両人よくしたりな。幸ィ爰は一筋道。隠れ窺《うかゞ》ひ若違背《ゐはい》せば打殺す。手配《くはり》相図《あいづ》を定ムべし。
地ハルこなたへ来れと主従フシ打連レ忍び居る。
ハルフシ比しも余寒《よかん》。中さへ返りウ霙《みぞれ》まじりにフシ降《ふる》雪の。地色ハル道はあやなくウこほれ共忠信《ちうしん》の道くもりなき。ウ心といふ字書キ付

し挑燈《ちやうちん》提《ひつさげ》定之進。供をも連《レ》ず只一人《リ》。鳥羽の畷《なはて》に指か丶（20オ）れば。

空冷敷《すさましく》渦巻て咽ふ計に降《ふり》か丶る。雪をも風をも厭《いとひ》なくのさばり来たる幸崎巌流《さゝきがんりう》。同じく持たる挑燈《ちやうちん》指上。

ヤア月本殿。巌流殿。御苦労《くらう》千《ン》万《ン》。善悪の二字の返答《へんたう》三日の請合今日切《リ》。早日《はや》も暮《レ》てござれば。内膳様嘸《さぞ》御待《チ》兼と存《ジ》。只今御旅館《りよくはん》へ参《ン》上致す所。コレハ〱拙者迚《せつしやとて》も其通り。御返答《へんたう》に参る所。幸《イ》々いざ。御同道《どう〱》申さんと先《キ》に立《ツ》。定之進しばしとゞめ。大橋家の御宝《みたから》。世継《よつぎ》の綸旨《りんし》の預りは身共。宝蔵《ほうざう》の鑰《かぎ》取《リ》は其元。其両人へ善悪の二字。誂《あつら》へた内膳様の心《ン》腹《ふく》中《カ》々愚案《ぐあん》に及ばぬ所。何《ン》と此心といふ文字の上。善の字を居《すへ》てよからふや。又悪《あく》の字を居てよからふや。ハテしれた事。仰出さる丶より此巌流は悪《ク》といふ字を。此（20ウ）心の上にしつかりと居る合点。ムウすりや其元《ト》は悪心《ン》の。いかにも。内膳様悪心《ン》の文字思召。立給ふは尤。御物領《そうれう》で有《リ》ながら。御舎弟《しやてい》民部様に世を奪《うは》れ。家老並《なみ》にて纔《わつか》分《ン》地三万石《キ》の主《シ》。年月無念《ン》に思しめさる丶心の闇《やみ》。はらし給ふ挑燈《ちやうちん》の此心の上に悪を居《すへ》。おそらく豊前の国主と仰《あを》ぎ奉る身が心《ン》底《てい》。筋道を糺《たゞ》すが表《テ》は悪ににたれ共。則《チ》是が善心《ン》かと存る。但《シ》又脇《わき》道で御ざらふかな。イヤ脇道も脇道ソリヤ畔《あぜ》道の踏違《ふみちか》ひ。先《ン》殿御逝去《せいきよ》の前民部様に国を譲《ゆづり》給ひ。兄御ながら内膳様は家老分《ン》と仰置《カ》れし。是明《あきら》か成大道。子を見る事親にしかず。嶮難悪所《けんなんあくしよ》の横《よこ》道成《ル》生れ付《キ》と。御覧なされての御遺言《ゆいげん》。それを我々愚意《ぐゐ》を以《ッ》て内膳様を（21オ）国主となすは。執権職《しつけんしよく》の道に背《そむ》く。此定之進はすぢかひ道は歩《あゆま》ぬ直《ク》道を行心。それを構《かま》はず横車の腰《こし》押《シ》は。佞人《ねいしん》の曲《まがり》道と詞を。フシ放《はな》つて云ければ。詞ムウしからば此巌流を佞人《ねいじん》と御らうじたか。さればな。御自分《じふん》のお心にお尋なされと。地ハルずつかりいはれむ色つとせしが。詞ヤ何かはない途中《とちう》にて無益《むやく》の争《あらそ》ひ。善悪共に内膳様の御前においてサアお先《キ》へ。イヤ拙者参る道が違《ちが》ふた。トハ又いづくへ。サ迚も悪心《ン》強気《がうき》の人。善《ン》道を申《シ》たり共よも御承引《しやういん》は有《ル》まい。御得心《とくしん》ない所へ参らふより。殿民部様へ此趣《おもむき》注進《ちうしん》致す。ムすりや内膳様の悪《ク》心を打明《ケ》て。申《ス》所存《しよぞん》おさらば。ム、さらばと地ウ引別るゝ道は一《ト》ハル筋善悪ウは。二《タ》つの道に二《タ》中張《はり》の灯《ひ》かげにひらめくウ抜《キ》身の光り。ハルさしつたりと切付クる。定之（21ウ）進挑燈《ちやうちん》の金物際《ぎは》にはつしと請。ハ、、、嗻《さぞ》あらんと見たるに違はず。卑《ひ》怯《きやう》成ルだまし打。其迷《まよふ》たる太刀先キにて。定之進を討ふとは愚《おろか》々。シヤア案外《あんぐはい》成ル一チ言ン。義を見てせざるは勇《いさみ》なし卑《ひ》怯《きやう》とは其方。此義を注進《ちうしん》致しては内膳様御親子御腹召スは治《ぢ》定《ぢやう》。同しお主の御連枝《れんし》見殺しにするか人非《にんぴ》人《にん》。ヤア人非人とは御辺《へん》が事。生ケ置イては後日の怨《あた》身が手にかくる観念《くはんねん》せよ。ヲ、互の入《じゆつ》魂《こん》も今ン晩限《ばんかぎ》り。イサ尋常《じんじやう》に。サア。〳〵。〳〵と両方一チ度に身拵《こしら》へ。負《まけ》ずおとらぬ剣術《けんじゆつ》の。師《し》匠《せう》と師匠の一ッ騎《き》討。一ッ世の浮《ふ》沈《ちん》と渡り合　秘《ひ》術《じゆつ》を尽《つく》す其内に。竹がなほしや家の芸《げい》月本流の鑓《やり》一ト手。つかはん物と心は矢《や》武《たけ》にはやれ共。透間《すきま》もあらせずしのぎをけづり。打合ひらめく切ッ先キより。火花雪（22オ）花ちり乱れめさまじくも又危《あやう》けれ。いかゞはしけん定之進土手《どて》の溜《たま》りにふんごんで。打かくる太刀先キを受ケはづしてたぢろく所切伏〳〵とゞめの刀。運《うん》の月本定之進あへなく息《いき》はたへにけり。

やがて死骸《しがい》に立かゝり。懐中《くはいちう》さがし取リ出すは輝《かゝやき》渡る一トつの箱。何やらんと挑燈《ちやうちん》にすかし見れば疑《うたが》ふ方なき世継《よつぎ》の綸旨《りんし》。ハア有がたしと押シいたゞき。扨は蜜《ひそか》に民部様へ。渡すべき所存《しよぞん》にて有しなにつくき仕方《しかた》。一ッ刻《こく》も早く内膳様へ指上んと。かけ出す後《うしろ》に船越親子ヤア〳〵巌流。最前《さいせん》より忍び居て。忠信《ちうしん》の程見届《とゞけ》大慶《けい》に存ると。家来引連レ立出れば。コハ有リ難《がた》き御錠《ちやう》。先ッ御大望成就《もうじやうじゆ》の瑞相《ずいさう》。世継の綸旨御頂《てう》戴《だい》と。渡せば受ケ取大きに悦び。此綸旨手に入ル上は民部が旅宿《りよしゆく》へ（22ウ）直《たゞち》にぼしかけ。年ン来の鬱憤《うつぷん》をさんずべし。いそふれ巌流。躮《せがれ》来れと先キに立ッア、暫《しばら》く御待チ有べし。直キに御手をおろされては反逆《ほんぎやく》人の悪ク名遁《のがれ》ず。民部殿は人知レず。毒酒《とくしゆ》を以ッて自滅《じめつ》させ。自然《しぜん》と一ッ国御ン手に入ん。ヲ、此計略《けいりやく》は巌流。其方に任《まか》せ置キ。弥〳〵《いよ〳〵》忠勤《ちうきん》頼存る。ハ、ア御仰迄も候はず。拙者《せつしや》が心ン底斯《ていかく》の通リと指《ゆび》くひさき。心の上に悪といふ文字書キ添《そへ》コレ御らんぜ。御企《くはだて》に随《したが》つて倶《とも》に悪事の魂《たましゐ》すへ。ながくお味方徒党《ととう》の血ッ判。やがて国主と尊敬《そんきやう》し大蔵様は御若殿。此巌流は執権職《しつけんしよく》。一ッ国平均《へいきん》致さん事掌《たなごゝろ》に覚有と。いふに親子はぞ

〱小踊《おとり》。ヲ、潔《いさぎよ》し頼もしし。何角の首尾《しゆび》は明日館《やかた》でしめし合さん。シイ。万ン事隠蜜秘《おんみつひ》すべし〱。早お暇《いとま》おさらば。〱と立別る丶。向ふの道より月本が（23オ）定紋付ィたる挑燈は。ヲ、あれこそ定之進が迎《むかひ》の者。まつかくせよと内膳親子。家来に囁《さゝやき》忍ばせて。巌流諸共立帰る。案《あん》に違《たが》はずいきせきとまめぞ合羽に菅《すげ》笠傾《かたむけ》出くるは。定之進が奴《やつこ》与五郎主人の帰り遅《おそ》きを気遣ィ。此道筋と真直《まつすぐ》に挑燈提《さげ》て何心。並《なみ》木のかげより悪党《あくとう》共窺《うかゞ》ひ寄ッて与五郎が。持たる挑燈打落す。ばつたり消《きへ》て真《まつ》くらがりシヤ。合点と身繕《づくろ》ひ。卑怯《ひきやう》者め。何やつといへ共さらに返答《へんたう》なく。逃ヶ行跡を追ッかくる向ふに大勢黒装束《しやうぞく》。道をさへぎり追ッ取リ巻《まく》。ハ、、、こりや時分柄追剥《じふんがらおひはぎ》殿な。見らる丶通リの此奴《やつこ》。剥《はぎ》にか丶るは目利違《めきゝちが》ひ。取溜《ため》が有ならばつつん出してかつ走《はし》れ。笑止《せうし》〱と嘲《あざ》笑ふ。こなたは一向《かう》物いはず。両輪にかけて引キ倒《たを》さんと車に積《つん》だる米俵《だはら》。投ヶ付〱もみにもんでぞ〽挑《いとみ》あふ多勢《たせい》を（23ウ）相手に事共せず。心得奴《やつこ》が日比の手練《しゆれん》。竪横無尽《じうわうむじん》になぎちらし眴《またゝく》内に五六人。途《ど》を失《うしな》ふて逃ヶまよふ藤馬平治を泥《どろ》田に切リ込。同し枕に切伏〱。残りし奴原遁《やつはらのが》さじと追かくる足本に。思ひがけなき主人の死骸《しがい》。夫とはしらずばつたりころんでこりや何ンだあた面倒《めんどう》なと起《おき》上り。又かけ出す足先キにかゝりつながる主従の。縁は切レざる提緒《さげを》の端《はし》。引寄セてこりや鞘《さや》計リ。ハレ不審《いぶかし》やとさぐり廻り。手に当タる抜キ身取リ上撫《なで》ても知レる木瓜鍔《もつかうつば》。甲《かぶと》作りのふち頭《かしら》は主人の指料《さしりやう》。ヤア〱〱と辺《あたり》を見れ共くら紛《まぎ》れ。あいろ見へねばとやせん角やヲ、夫レよ。ごろた掴《つかん》で刀のむね。くはつし〱と摺《すり》火打死骸《しがい》を見付ケ。ハア。はつと計狂気《きやうき》のごとく。かけ出しては又かけ戻り。立たり居たりどふど座ししがみ付ィて申お旦那。〱。与五郎めでございます。（24オ）ナ、何やつが。〱。相手を御意《ゐ》なされませ。サア。〱。〱と押シ動《うご》かし。抱起《おこ》して。サア相手はと詰《つめ》かくれば。風にたをるゝ古木《こぼく》のごとく。むざんといふも愚《おろか》也。漸《やう〱》に心をしづめ。疵《きず》の口を撫《なで》さぐり後《うしろ》げさにひはらをかけ。とゞめ迄さいた物何ンの物おつしやらふ。宵に御供仕らんと。玄関《げんくはん》前にかつつくばふたりや。ヤ供はいらぬ。迎《むかひ》にもこないでよいと。御意なされたがお顔の見納《おさ》め。お草履《ざうり》の取リ納めで有たよな。いでみらい迄も御供と。刀逆《さか》手に追ッ取しが。イヤ待テしはし。イヤ〳〵おらが死では。国本にござるおくら様。百太郎様へ。此趣《おもむき》いふ者がない。ヲそふだ〳〵。併《しかし》国へ帰つて旦那はとお尋なされた其時に。イヤ切れてお果遊ばされ。其敵は存ませぬと生頬《なまづら》さげて何ンとまあ。ハア。はつと跡先キを。思ひ廻して男泣無念。涙にくれにける。

折もこそあれ。雲切レて朧《おぼろ》(24ウ)々の月かげに。見れば最前《さいぜん》切たる死骸《しがい》。さんを乱してたおれふす。一々そつ首引起《おこ》し。見れ共〳〵見しらぬ顔。ヱ、敵詮義《せんぎ》の手がゝりにも。何ンにもならぬがらくためら。五人十人切た迚手向《たむけ》供養《くやう》に成べきか。御追善《ついぜん》には敵の首。提《ひつさげ》て御目にかけ。修羅道《しゆらだう》の御憤《いきどほり》を。はらさせますでこはりませふとなく〳〵。死骸《しがい》を。有合フ車に抱乗《いだきのせ》。鳥辺野《とりべの》山の煙《けふり》となさん野辺の。送《おく》りの手車と。押シて行道見へわかずし。どろ。もどろの足弱《あしよは》車。思ひにやつるゝやれ車廻りあふべき事もなき片輪《かたわ》車のわかれ路《ぢ》に又。降《ふり》しきる六つの花。六つのちまたに必迷《かならずまよ》はせ給ふなと。いへ共我は迷ひ行涙。玉ぎ

る。玉ぼこをたどり。〳〵帰りける。(25オ)

中之巻

誠《まこと》有ル人を。寿《いく》してながゝれと。実《げに》おしめ共露の身の。住果《すみはて》ぬ世は定めなく。雲隠れにし月本の不祥《ふしやう》にかゝる嘆き共。しらぬ館《やかた》は豊前《ぶぜん》ノ国主ジは殿の御供に。在京《さいきやう》留主《るす》の見廻イとて諸方の付キ合出入の者。品を諍《あらそ》ひ手を尽《つく》し日毎《ひごと》〳〵の贈《おくり》物。妼《こしもと》共が取次イで追イ々奥へ持チ運《はこ》ぶ。隙もなまめき賑《にぎ》はへり。年シ積《つみ》て。かゝる子よりも孫といふ喩《たとへ》に洩《もれ》ぬ百太郎。今年《ことし》十二の春の花莟《つぼみ》からなる才発《さいはつ》者。老母《らうぼ》の手を引立テ出ればいつ〳〵よりも機嫌《きげん》よく。コレ百太郎。今の進物《しんもつ》見やつたか。あの様に方々から毎日〳〵留主《るす》見舞《まひ》に預《あづか》るも。日頃《ひごろ》(25ウ)から定之進が人によう思はれし故。そなたも父を見習《なら》ふて不行跡《かうせき》にないやう。

取分ヶ武芸《ぶげい》に名高き家筋随分《ずいぶん》共精《せい》に入大橋家の執権職《しつけんしょく》。相続《さうぞく》するが肝要《かんやう》と生長《おひさき》思ふ老の身の。詞にハット手をつかへ。常《つね》々爺《とゝ》様も其教訓《けうくん》有し故。八幡様へ祈願《きぐはん》をこめ毎日の参詣《さんけい》。則チ馬場《ばゝ》先キにて馬の稽古《けいこ》を致ますも。多人数《たにんしゅ》なれば一刻《こく》も早ふ参りたし。角内来れと呼《よび》出せば。ハット答《こたへ》てかつつくばい。今晩《こんばん》は神ン主方に例年《れいねん》の日待チなれば。御親子共に御出下さるべしと申て参つた。直《すぐ》様明朝《めうてう》馬の御稽古《けいこ》然るべし。早くお出とすゝむれば。誠に夫レよ。定之進の名代旁《めうだいかた〲》百太郎おいきやれ。コリヤ角内。ばたくさと取急《いそ》ぎ。大事の孫に怪我《けが》（26オ）さすな。そりやお気遣イない〳〵〳〵。角内お供は慥《たしか》だと。跡に引添《そひ》いそ〳〵と宇佐の社へ詣《まふで》ける。

老母は跡を見送ッて。ア、一人リも独《ひとり》から発明《はつめい》者では有はいの。したがそち達チも知ル通り。先キ達ッて定之進の書通《しょつう》に。勅使《ちよくし》のお下向《げかう》も近々なれば。殿のお供し帰国《きこく》せうと云越シた其日より。待テ共何ンの沙汰《さた》なき故。嫁のおくらは船宿《ふなやど》迄様子尋にいきやつたが。何事もなければよいが。どふやら胸がさだかならぬ。年寄ル程何角に付ヶ案《あん》じ過しがせらるゝと。いふも理《ことは》り血筋の別れ物がしらする気の脳《なやみ》。此儘爰で一ト寝入。おくらが今にも戻りやつたらおこしてくれといふ内も。横にころりと肘《ひぢ》枕とろ〳〵寝入レば。ソレお枕お足よ腰よと撫《なで》さすり。互に気を付ヶ傅《かしづく》も。主の心の日頃《ひごろ》から（26ウ）使《つか》ひがらとはしられたり。

やゝ時移《うつ》る朧《おぼろ》夜の。空は入ルさの月の跡めざすもしらぬ真暗《まつくらが》り。姿くろめる黒装《しやうぞく》束。面《つら》を隠《かく》せし曲《くせ》者が。傍《あたり》見廻しうそ〳〵と。門前に窺《うかゞ》ひ寄リ内を覗《のぞい》て打黙《うなづ》き。腰のかぎ縄打かけてひらりと上る塀《へい》の屋根。見越シの枝に手をかけて。小庭にそつと忍び入。

跡へのか〳〵出来る。背《せい》も雲つく大男ほくそ頭巾《づきん》に大だらぼつ込。内へずつかり立はたかり。コリヤめろさい共。此家の亭主《ていしゆ》はどぶさつておるか。ちよつと逢ィたい爰へ五体《たい》を持出せ〳〵。是はしたりかはつた形リでこなたはマア何者じや。ホヲ、看板《かんばん》打ッた盗人《ぬすびと》じや。ヲ、とわなゝき震《ふるひ》出し。申〳〵とゆり起《おこ》せば。老女はむつくと枕を上。亭主《ていしゆ》といふは此ばゝ。盗人か何の用ぞ。ヲ、サ此髭《ひげ》が親方盗人のお頭《かしら》よりお（27

オ）使ィ。今夜此家へ踊込《おどりこみ》望《のぞみ》の物をしこだめてづいとふける。併《しかし》亭主《ていしゆ》は女と有レば。若驚《もしおとろき》も有ふかと先キ達ッて案内。とつくと内も眼《がん》ばつたと。ずつかりやり出す大盗人手強《づよ》くも又権柄《けんべい》成ル。老母はハツト起直《おきなを》り両手をついて。是は〳〵御叮嚀《ていねい》なお使ィ。御覧の通リ見込ミもない此屋敷キへ。盗ミにお出なさるゝとは忝いと申そふか御苦労《くらう》といはふか。外聞旁《くはいぶんかた〴〵》此ばゞが悦びはいか計リ。成程お前の御勝手次第何ン時でもお出なされ。お望の物は愚《おろか》家財《ざい》残らず引さらへてお帰りなされ。必待ッておりまするとおつしやつて下さりませ。ホウさつぱりとした返事。中カ々呑込《のみこみ》のよいおばゝじや。然らは帰リ其通リお頭《かしら》へ申上ふ。必詞つがふたと念ンに念ン押シ出て行。浮世なりけり世の中に例少《ためしすくなき》使ィ也。（27ウ）跡見送ッて妼《こしもと》共。こはや〳〵と立さはげば。アヽこりや〳〵騒《さはが》しい。盗人の案内乞《こふ》は希《まれ》のお客《きやく》と心得。裏表《うらおもて》の門明ケ放《はな》し待ッこそばゞが能《よい》慰《なぐさみ》。みちんも恐《おそ》るゝ事なかれと長刀小脇にかいこんで。サア皆参れと打連レてしづ〳〵奥に入有様。実月本が老母迚武家に育《そだち》し印シ也。

時もうつさず出来るは盗賊《とうぞく》の張本《ちやうぼん》。誰共いざや白浪《しらなみ》のよるべも由縁紫《ゆかりむらさき》の。ほうろく頭巾《つきん》。長ヵ羽織《ばおり》着つゝ馴《なれ》たる大尽《じん》風。門の外面《そとも》に指《さし》かゝれば手下の髭《ひげ》が心得て。ヤア〱盗人のお頭《かしら》がお出なされた。罷リ出て三拝《はい》しおれ。ソリヤこそ来たはと妼共。襖細目《ふすまほそめ》に見て悑《びつく》り思はずくはらりと走り出。ヤアあれが盗人のお頭様か。ナント皆の衆見やしやつたか。あの美《うつ》しい器量《きりやう》して盗ミするとはあつたら（28オ）物。こちらは常《つね》に用心ンして押付ケ取にもあはね共。アノお頭《かしら》ならあてがふてたつた一夜さ盗れたい。わしらもきつさりやる気じやはいのふ。コリヤやい〱めらう共。女護《にようご》の島で松茸《たけ》を見た様に。びろ〱と面倒《めんどう》な。仇《あだ》口利《り》ずとソレ。旦那へおたばこ盆《ぼん》。ホンニそれ〱気が付ヵなんだ。コレおもん殿そりやわしが持て行。イヤおしけ殿こなたより此雪が上ヶまする。そんならお菓子《くはし》と立さはぐ。ホウ其馳走《ちさう》は跡で緩《ゆるり》と賞《しやう》翫《くはん》せう。先ッ急《きう》に亭主に逢たい。ヤ此髭《ひげ》も急にひたるい。茶漬《ちやづけ》一ッぱいけそ〱とかこはせい。扨もなめたりさもしいわろ。面憎《つらにく》けれとお頭の器量《きりやう》にめんじて聞てやろ。お台《だい》所でハア何ンとやらヲ、それ〱。けそ〳〵とかこはつしやれと打笑《わら》ひ（28ウ）伴《ともな》ひてこそ入にけれ。

奥ふかき。囲《かこひ》に泫《たぎ》る。釜の音。老女は手前もしほらしく。薄茶《うすちや》をたてゝ浮船の。茶碗《ちやわん》持ッ手もしとやかに。膝元《ひざもと》近カく指出《さし》し。思召シ寄ラせられましてめづらかの御出御苦労《くらう》千万ン。薄《うす》うは御ざれど夜寒《よさむ》の折柄《から》。一トつ上つて下さりませと。云様見合す顔と顔。ヤアこりや養君《やしなひきみ》靫負《ゆきゑ》様か。ア、これ〳〵其靫負のゆの字も匂《にほ》はしては。此鼻《はな》が為にならぬ。ハテ勘当《かんどう》の身じや。ノ合点か。そこてこちからも乳母《うば》のうの字も申さぬが。マア志《こゝろざし》のお茶忝いと。押シ戴《いたゞ》けばにじり寄リ。コレわこ御息才《そくさい》で御ざりましたの。島原でお別れ申て以来《このかた》お行衛は知レず。あらい風にも当テぬお身の俄《にはか》の艱難《かんなん》。御苦労《くらう》からお煩《わづら》ひもなされぬか。世上の聞へを（29オ）恥らふて逸徹《いつてつ》なお気も出よふかと。烏《からす》の鳴《なか》ぬ日は有レど。お前の事を案《あん》じぬ日もなく。どふぞ便リが聞たいと思ふに任《まか》せぬ時も時。ようござつて下さりました。マア〳〵御無事なお顔を見て。胸の痛《いたみ》を忘れたと縋《すが》り嘆けばさこそ〳〵。おれも丁ど其通リ。そなたの事を案じても遠慮《ゑんりよ》せにやならぬ身の上。態《わざと》便リもせなんだと。地色ハルいふ顔つくぐ中打眺《ながめ》。ウ誠に人の心は世につるとフシ云ながら。詞お前はお身のイ《たゝずみ》がなき儘《まゝ》。盗人仲カ間へおはいりなされましたの。

ハテ訳《わけ》もない事。仲間入してからが人の物取ルすべ知ラねば夫レも俄《にはか》にやいかぬ事。まだ本ン盗《ぬ》にはなりやせぬわいの。さつきにも使イにおこす。今も供に連《つれ》て来た手下の者といふは。ありや里雀《すゞめ》の忠六といふ牽頭《たいこ》持。地色ウあれが世話《せわ》でどふやらかう（29ウ）ハルやらけふ迄命は繋《つな》げ共。ウ手詰《づま》つた色事が出来た故。詞有やうはそなたに無心ン。といふもいはれぬ身のしだら。そこを忠六と談合《だんかう》したれば相イたいで盗にはいれといふコリヤ尤。乳母《うば》の事なりや高が縛《しばり》も殺《ころし》も仕《し》やるまいと天井《じやう》くゝつて踊込《おどりこみ》。日比定之進が倹約守《けんやくまも》つて溜《ため》た金。きつさりと盗れてたも。といふて纔《わづか》の事じや。ハテ盗人といふ名が付ケば。地色ウ勘当の躮《せがれ》に貢《みつい》だと親人から咎《とがめ》もハル有ルまい。ウどふぞ色頼ム。詞ホ、ウそふおつしやらいでも御不自由《じゆう》は察《さつ》しております。シテ其手詰《づま》つた金は何程。イヤたつた五百両じや。それがなければ花浦が身請がならぬ。急《きう》に大夫を根引にせねば云かはした義理が立ず。起請《きしやう》に書ィた神々の罰《はち》が当タる。おりや夫レがこはい。イヤもふ〳〵恐《おそ》ろしうて身の毛がしやく〳〵立はいの。ムウ（30オ）すりや今の御艱難《かんなん》見るかげもないお姿でも。花浦殿の事は思ひ切ル気は。けもない事〳〵。其様に不心ン中な男じやと思やるか。譬《たとへ》天地がもんどり打ても一ッ旦《たん》云かはした事ひるがへさぬが侍《さふらひ》。ハツア遉《さすが》は大名の種《たね》程有ルと誉《ほめ》てたも〳〵。

ヲ、ウ成ル程誉メもしませうが。地色ウ 親殿民部様がお前に仰ハル置カれた御教訓《けうくん》。ウ たつた一ト言《こと》。詞 ア、いふまい〳〵。気詰《づま》りな異見《ゐけん》。是迄段々下タ地が有レばもふ一ト口もいけぬ。子を見る事親にしかじと。親父がおれが髪をずかといはして。勘当《かんどう》じや出てうせふと追ィ出されたは。所詮《しよせん》侍ィには成ルまいと見すへられた。其粋《ずい》さ発《はつ》明《めい》さ。推量《すいりやう》の通リ侍ィじやの大名じやのと。大きな顔してゐると第一かはいひ花浦を抱《だい》て寝る事がならぬ。第二には。国ク中の公事《くじ》（30ウ）訴訟《そせう》聞クがさいご気が尽《つき》て疳積《かんしやく》が発《おこ》る。第三には人切ル事が大禁物《きんもつ》。三拍《ひやう》子《し》揃《そろ》ふたおれが生れ付キ。夫レに異《ゐ》見《けん》抔《など》とは気《き》違《ちがひ》に借銭乞《しやくせんこふ》様な物。口づいやし隙づいやしお取リ上ケはござ

らぬと。地色ハル取ッて付キほもない顔を。ウしけ〳〵と中打守り。ウ形《かたち》は産《うん》でも心は産《うま》れぬハル世の譬《たとへ》。ウたつた一ト人リの御世《よ》

継《つぎ》が傾城《けいせい》故にもぬけの衣《きぬ》。ウ正体《しやうだい》もなきお身持は。ウ親御の因果《ゐんぐは》かお前の業《ごう》か。上いか成ル天魔《ま》の見入レぞと。

ウ悲しさつらさを一ト筋に。ウお主思ひの入中胸にノルせく涙。フシやるせも泣しづむ。

詞ハテ扨々ぐちな事いふて泣な。ア気の捌《さばけ》たおれを育《そだて》た様にもない。いやならいやと一ト口にいはいで。夫レ

程惜《おし》み悲しむ金。くれふといふてももふいらぬ。今ン生《じやう》の対面《たいめん》是限《かぎ》り。地ウ随分《ずいぶん》無事《ぶじ》ハルでお居や（31オ）れと。

ウずんど立ッて行んとする裾《すそ》に取リ付キ色コリヤどこへ。詞ハテ身請の金が調《とゝの》はねば。腹切ッて死るわい。ホウ御

生害《しやうがい》と迄思ひ詰《つめ》られた事。何ンのいやと申ましよ。そんならたもるか。何ン百両でも此ばゞが指上ませう

程にお心安ふ思召せ。地ウ先ッ々夜寒《さむ》を御凌《しのぎ》酒《さゝ》一トつハル上ましたい。ウ奥へお出といふにウ落付キ色嬉しい〳〵。詞忠六に

も云ヒ聞せわつさりとめでた酒。ウタイ汲共《くめ》尽《つき》ず呑共《のめ》かはらぬ　ナヲスハル底《そこ》ぬけの。ウ牽頭《たいこ》を相手に仕付《し》ケてみせう。ウそ

なたもおじやれと云捨てヲクリいそ〳〵として奥に入ル。

後《うしろ》姿を。打眺《なが》め。ぜひも涙にむせびしが。やゝ有ッて一ト間に入。刀携《たづさ》へ立出床畳《とこたゝみ》引上れば。衣《ころも》打かけ駒笛が飛ンで出るよりきよろ〳〵目。ヤヤハ、、、扨《ッ》も照《てる》は。よい日和《ひより》じやにばら〳〵。降《ふる》は涙か雨の音。(31ウ)　しつぽりと殿様と寝させて下んせと。常《つね》々頼んだ濡仏《ぬれぼとけ》。よう嘘《うそ》ついて。こんな形リにしくさつた。嘘《うそ》ついた者は地獄《ぢごく》の釜《かま》へぼつたり。そんな仏はこちやいやじや。何の後生《ごしやう》もさんしやうも。いらぬ〳〵と衣脱捨《ころもぬぎすて》はで衣装《ゐしやう》。脛《はぎ》もあらはにしやな〳〵〳〵。しやんとして又いとしらしい。殿御に我は捨られて。恨《うらみ》は仇《あだ》の花浦が。アレ〳〵わしを指《ゆび》ざして。笑ふは憎《にく》や腹立やといかりわなゝき正体《だい》。もなく伏しづむ。

ア、これ〳〵申。気の細《ほそ》いお生《うま》れ付。今靱負様がお前の事は脇《わき》へなし。花浦を請出すとどうよくなお詞。下タ家《や》で聞てござつたら気も違《ちが》はいで何ッとせう。正気に成ッて下さりませと。取リ付キ嘆ケば。顔を上。わしや何ンぞいふたかな。ア、恥しや添《そふ》に添れぬ心の痛《いたみ》。熱《ねつ》におかされそゞろ(32オ)言《ごと》。いつそ気が違《ちが》ふて死ンだらば此憂《うき》思ひは有ルまいに。上わしや気違イにさへ得ウならぬと。ウくどき立〳〵嘆キ。スヱテ沈《しづみ》て居たり中しが。

地ウ迚も此世で叶はずば必未来《みらい》で鞠負様。ハルア、夫レ詞も叶はぬでござりませう。お乳母殿今迄はたんと苦労《くらう》をか

けましたと。地ハル刀を取レばア、ウこれ〳〵お前お独《ひとり》殺《ころ》しはせぬ。ウばゞもお供致しまする。色いつぞや都詞島原で若

殿を御勘当の砌《みきり》。お前を私にお預ケなされ。躬鞠負が若《もし》本ン心ンに成リ。駒笛と祝言の結《むすび》をなさば勘当を赦《ゆる》し

此家次クの刀を渡し。めでたう国を家次クと下シ置カれた其時の嬉しさ。己《おのれ》やれ上々きつすいのお大名にして。

お供致しませうと請合ッたかいもない。今も今迚花浦殿を。請出さねば腹切ルとおつしやる。といふて此儘《まゝ》

に指置イては。親（32ウ）殿へ此家次のお刀何ンといふてお戻し申さふ。地色ウ所詮《しよせん》返事は此乳母《うば》が死るより外カ

ハル仕様もないと。ウ互イに手に手ウを取かはし。上わしはつれない殿御故。ウ私も育《そだて》たわこ故に。ウ駒笛様よふ死ンで下

さりますと。ウうさとつらさを身二つにせウまる思ひのクル数々をノルかぞへ。フシ嘆クぞ道理なる。

地ウ折から宵《よひ》より忍び込ウ始終《しじう》を窺《うかゞ》ふハル曲《くせ》者が。ウ後《うしろ》へによつと見付ケた〳〵。サアウ姫こい色と引立ウる。老母はかけ寄リ

腕《うで》もぎ放《はな》し。後《うしろ》にかこふて寄ルまい〳〵。何者なれば此狼藉窃《らうぜきしのび》に入ッた様子をいへ。ホウ身は船越大蔵様の
家頼斑鳩《けらいいかるが》藤太といふ者。此間使者を以ッて姫を渡せと仰越《こさ》るゝ所。偽《いつは》り隠す不届《とゞき》ばゝ。事の実否《じつぷ》を糺《たゞ》さん
為。今宵拙者《こよひせつしや》に窃《しのび》を仰付ケられ。（33オ）まんまと見付ケた其駒笛。サア尋常《じんじやう》に渡せばよし。邪魔《じやま》ひろぐと
真《まつ》二つ何ンと〳〵と反《そり》打かくれば。ハ、、、毛二才殿が味《あぢ》やらるゝよ。コリヤやい。従弟《いとこ》御の花嫁君。
横恋慕《よこれんぼ》の大蔵へ渡して此ばゝが立ふと思ふか。此世があの世へ宿がへし。生れかはつてござつても叶はぬ
事じや。思ひ切りやと立帰つて返事せい。夫レ共是非《ぜひ》連レていにたくば首をかはりに置ィていけ。
ヤアしやらくさい老ぼれめがつつぱり立テ。渡さにやかうじやと抜キ打に。切付クるを丁ど受ケ払《はら》へば付ケ入
ひらけばかゝり。裾《すそ》をなぐれば飛ちがへ。打合切リあふ目先キにちら〳〵駒笛が危《あやう》さひあいさ。ソレのいた
怪我《けが》なされなと気をあせる。たるみに老母がたぶさ髪。引掴《つか》んで押シ伏捻伏《ふせねぢ》只一ト討とふり上クる。（33ウ）
後《うしろ》へかけ出る靫負ノ介。藤太が膁《よはごし》はつしと蹴《け》のめし起《おき》上るを引寄セて。老母が持ッたる家次の刀おつ取リ

斑鳩《いかるが》が。胴腹《どうばら》ぐつと一トゑぐり刀を其儘立たる風情心地よくこそ見へにけれ。ヤア、鞁負様かと駒笛が。思ひがけなき驚《おどろき》に老母も指寄リ養《やしなひ》君お出かしなされた遖《あつぱれ》々。出来た〱とあふぎ立れば。直クに藤太が首打落し。乳母《うば》それへ出てよつく聞。大橋鞁負ノ介今日より魂《たましゐ》改《あらた》め。親人よりお譲《ゆづり》の此家次クを頂戴《てうだい》したと。抜キ身を三度戴《たびいたゞき》給へば。

コレ養《やしなひ》君。すりやお前は傾城《けいせい》の花浦殿を。ヲ、思ひ切て駒笛と夫婦に成リ再《ふたゝ》び武士に立帰る所存《しよぞん》。ソリヤ御真実《しんじつ》でござりますか。ハテ此鞁負が事を思ひ。駒笛といひ。育《そだて》(34オ)上し乳《ち》の母のそなたが。死ふといふも始終《しゞう》奥で聞て居た。夫レに此魂《たましゐ》が何シと改《あらた》めずに居られふぞ。親父様に今迄の不行跡《かうせき》。御堪忍《かんにん》なされて下さりませとお詫《わび》申てたも。ア、そなたもおれ故いかひ苦労《くらう》を仕《し》やつた。赦《ゆる》してたもと縋《すが》り付キ後《こう》悔《くわい》涙は稚《おさな》子の。乳房《ちぶさ》をしたふごとくにて育《そだち》忘れぬ真身《しんみ》なり。

駒笛余りの嬉しさに鞁負の顔を打守り。夢か現《うつゝ》か有リがたやと悦ぶも又涙也。ヲ、お嬉しいは道理〱。

此乳母も今のお詞聞たれば。今死ンでも結構《けつかう》な仏に成リまする。サア〳〵善は急《いそ》げじや。駒笛様のお手を引御夫婦連レで館《やかた》入と。いふ間も手早く靫負介。かたへに有合白ラ台《だい》を高札に取認《したゝ》め。硯《すゞり》引寄セさら〳〵と。書クを二人がいぶかしく指《さし》（34ウ）寄ッて。ム、何々高札の事。斑鳩《いかるが》藤太といふ盗賊《とうぞく》駒笛を盗ミ出さんとせし故打放《はな》し其駒笛を盗取ル者也。若シ同類の盗賊申シ分ンこれあらば。大橋靫負が館《やかた》へ申来るべし。何ンと是で靫負が盗賊の功《こう》は立ふが。

ホ、ウ適《あつはれ》々日本ン一チ盗賊のお頭《かしら》様。イデ此ばゝが。首途《かどで》の餞別《はなむけ》致さんと。刀追ッ取リ白髪《しらが》の髻《もとゞり》ふつつと押シ切。駒笛様も尼姿。お前も有髪《うはつ》のかもめ髱《づと》お大名の御祝言《しうげん》にいまはしい。恐レながら此ばゝが年にあやかり給ふ様。行末長ふ御継髪《つぎがみ》と指出せば。押シ戴《いたゞ》き。是ぞ妹背《いもせ》の振分髪《ふりわけ》。結《むす》ぶの神と祝ふぞと。互の髪に取分ケ給へば駒笛が。ソレ〳〵今のお方の事と。心を付クれば。いかにも〳〵。かう成ルからは悋気《りんき》しつとも何ンにもない。忠六（35オ）早ふと呼出し。

兼て用意《ようゐ》の五百両。渡せばハツト受ヶ取リて。始終《しじう》様子は承はつた。此お金で花浦様廓《くるは》を根引。そふ共〳〵気作なお人。今こそばゝが心はさつばり誰レはゞからぬ御祝言。早ふ〳〵とすゝめられ。心はいさむ駒笛も。改《あらたま》つたる祝言と思へばどふやらおもはゆく。顔見合せて。詞さへ。おしの重羽《かさねば》比翼《ひよく》の翅《つばさ》。連理《れんり》の枝と打連レて。ふたゝび館《やかた》に帰り咲《ざき》。花めづらしき妹と背のわりなき。ゑにしぞ〽楽しけれ。

年ふりし宇佐八幡《まん》の瑞籬《みずがき》や。弓矢《ゆみや》神とて武士《もの丶ふ》のあゆみをはこぶ並《なみ》木の馬場《ばゝ》。家中の諸士《しよし》に打交《まじ》り町人百性医者禅門《いしやぜんもん》。禰宜《ねぎ》山伏に至《いた》る迄馬の庭乗遠《にはのりとを》乗リの。稽古《けいこ》に心かけさする。轡《くつわ》の音トはりん〳〵〳〵。りんと招《ひか》へし諸手綱《もろたづな》。地乗リの（35ウ）はこび輪《わ》を入レて蒐《かけ》を。諍《あらそ》ふ荒《あら》馬に。はね飛《とば》さるゝ者も有リ。或《あるひ》は曲馬《きよくば》の片《かた》足《し》立チ鑓《やり》。長刀《なぎなた》を遣《つか》ふも有。太腹《ふとばら》くゞつて扇取打立テ。蹴《け》立乗リかへし。乗リ連〳〵乗リ飛す。鳥居通りの人群集《くんじゆ》押シ合イへし合ゑい〳〵声。松の嵐に音添《そひ》て賑《にき》はし。くも又いさぎよし。

馬《ば》借《しやく》鞭《むち》助声をかけ。アヽこれ〳〵。いつもの通リ九つ切の約束なれば。稽古《けいこ》は是でお仕廻《しまひ》なされ。さらば馬代《ばだい》を致そかと。手を指出《さし》せばいかにも〳〵。日足を見れば午《むま》の刻《こく》。馬の借賃猿《かりちんさる》が餅《もち》。面々渡して又明日。さらば〳〵と立帰れば。コレ房安《ほうあん》様はづすまい。御仁体《じんたい》に似合ませぬ。サア〳〵馬代《ばだい》を。イヤおりややらぬ。ソリヤなせに。ハテ目を明ィて物いやれ。落馬《らくば》して田の側《かは》へずでんどう。泥《どろ》ぼたくに（36オ）成ッて何ンの馬代。テモ無理《むり》な事計《ツ》。落《おち》さしやつたはお前の不調法《てうほう》。馬の知ッたこつちやない。イヤ知ッたこつちや。あやつが膝《ひざ》をがつくりと折ッたから。おれも腕《かいな》をぎくと折ッた。ヱそんなら折レ合ィになされませ。イヤ腕《かいな》計リじやない。尻《しり》こぶたを噛《かま》れたはい。馬は元来《もとより》馬頭観音《ばとうくはんおん》。乗ッた跡は尻《しり》くらいじや。ホウこりや理屈《りくつ》面白い。イヤ面白ふはなけれど有リやうは持チ合せがない。ハテない物とろとはこつちもいわぬ。其腰《こし》の物置ィてござれ。とは又いかに。ハテ人喰《くひ》馬に相口《あいくち》。ハ、ア聞へた。こりや尤。馬代にや過キれどぜひがない。コレ〳〵渡そと指出《さし》す。ヲツトいたそと鞘《さや》つかめば。すらりと抜ィてどつこいならぬ。さはつたら切レる。あぶなか寄ルなとひら〳〵。めつたむしやうに振廻《ふりまは》し。跡をも見ずして逃《にげ》（36ウ）帰る。馬借《ばしやく》はやらじとコレ〳〵。待ッた〳〵といふ中チに。かげも形《かたち》もなむ三宝。コリヤむごいめに横着《わうちやく》医者《いしや》。ほんの泥田《どろた》房安《ぼうあん》じやと忙《あき》れ〳〵果たる計也。

折節《おりふし》社の方よりも衣縫《ゐほう》の袴《はかま》ため付ケて。対《つい》の大小のつしりと。さしも権《けたかき》丸額《びたい》。一チ僕《ぼく》連レて出来るは。月本定之進が子息《しそく》百太郎。夫レと見るより小腰をかゞめ。是は〳〵百太郎様。御奇特《きどく》に毎日御社参《しやさん》。ヱ、もちつと早ふ御下向《げかう》なら。めづらしい曲乗《きよくのり》も有。蒐《かけ》もさま〴〵落るやら飛やら。それは〳〵よいお慰《なくさみ》で有ッたに。角内殿何ンとしてお隙が入た。イヤけふは神ン主方で御馳走《ちさう》が有たから。遅《おそ》く成ッてもまだ晩迄稽《けい》古《こ》はゆつくり。旦那一ト馬場《ばゝ》遊ばさぬか。いかにも〳〵。惣じて物を稽古するは。坂に車を押スごとく。油《ゆ》断《だん》（37オ）をすれば跡へ戻《もど》る。一ト馬場《ばゝ》責《せめ》ふ馬を引ケ。畏《かしこま》つたと轡《くつわづら》面。とつ付クお供に鞭《むち》助も。添《そふ》て遙《はるか》の馬場《ばゝ》先キへ。しづ〳〵とこそ行過る。

跡へ来るも若衆髪。繰《くり》出し鬢《びん》にかもめ髱《づと》屋敷《やしき》。模様《もやう》の振《ふり》袖に。一ト腰《こし》さいた取リなりも。同し年ばへり、しげな子を引連レて糸平が。浦《うら》山しげに打眺《なが》め。コリヤ岩松。御家中に馬芸《ばげい》がはやれば。町人百性も我逸《われいち》に馬の稽古《けいこ》。潔《いさぎ》よい体《てい》を見るに付ケ。奴《やつこ》風情《ふぜい》の子なれば馬借ル事もならぬと。そちが思ふを推量《すいりやう》して。どふやらかうやら馬代を才覚《さいかく》したりや。けふは爰で稽古さするぞ。ホウ夫レは何より嬉しや〳〵。どふぞ馬にも乗リ覚へ。剣術《けんじゆつ》をも伝授《でんじゆ》して。適《あつぱれ》な侍イと名が上ケたう御ざります。ヲ、ウ出かした。よふいふた。（37ウ）遉《さすが》は我子といふ中チも種《たね》恥しき身の上を。思ひ廻せば目に涙。くろめ兼たる黒どんの。袖に渕《ふち》なす計也。

時しも向ふへ。しろ〴〵と間遠《まどを》に。見ゆるぼんほり綿《わた》。しやんと拘《かゝへ》に脛《はぎ》高くはだし参りと御社《みやしろ》へ。行さま見合す顔と顔。ヤア糸平様ンじやないかいの。是は扨喜代妻様。お久しや〳〵マア御息災《そくさい》で。サアわしも今は彼《かの》お方の世話《せわ》で勤《つとめ》を引てな。身儘《まゝ》に成ッてござる様子聞て居ながら。旦那の御用に隙《ひま》がないからお尋も申さなんだが。よい所でお目にかゝつた。コレ。おらが躮《せがれ》の岩松。定めて面《おも》ざし見しつて御ざらふ。何ッと大きう成ませうが。ヤアどれ〳〵。是が今の岩松かいの。成人《せいじん》したればちよつと目には見違《ちが》へても。いやといはれぬ親子のしるし。わしが顔（38オ）にア、これ〳〵。お前の顔の住居は問《とは》ぬ。こりや糸平が子じや程に。とつくりと見て下さりませといふ事さ。ホンニわしとした事が麁相《そさう》な。すつてに口がすべろとした。扨はお前が糸平様ンのお子じやよな。テモ扨も美《うつく》しい尋常《じんじやう》な生れ付キ。地ウ発明《はつめい》さふな目のはり。ウりん〳〵とした所が爺《てゝ》御の。詞サ、、、此奴《やつこ》めに。似《に》た共〳〵生キうつし。コレわしや喜代妻《きよづま》といふてな。糸平様とは前方お心安ふした者。見知ッて置ィて下さんせ。ハア、つゐにお目にはかゝらね共。どふやら馴《なれ》々しいお詞。母もなき私。爺《てゝ》様の留主《るす》計リ致しております。お近付キに成リます上は。今からお心置カれず共。ちよつちよとお出下さりませ。ヲ、ウしほらしいよういはしやんした。お前方と心安いは内証《ないしやう》。地ウぎゞどう〳〵とし（38ウ）たお屋敷へハル行事色こそならず共。詞又此様に途中《とちう》でお目にかゝる事も有ふ。シテまあけふは親子連レでどこへござんす。
サレバ。私こそ浅《あさ》ましい。草履《ざうり》掴《つかみ》で朽《くち》果る共。躮《せがれ》をれつきとした侍ィにして下さりませと。八幡様へ百日
の日ッ参。殊《こと》に当国の殿様は。武芸鍛錬《ぶげいたんれん》の者を御称美《せうび》有ッて。下賤《げせん》を撰《あらは》ず引上ヶて。御知行《ちぎやう》を下さるれば。
地ウ 彼が生先出 世《おひさきしゅつせ》の為。ウ 今も馬借《はしゃく》を ハル 頼み馬を 色 稽古《けいこ》させまする。詞 扨もようにた事も有ル物。わしも勤《つとめ》の内に儲《もうけ》た。
此子の様ながごさんすが。地ウ 早う出ッ世する様に何とぞ親子の ハル 名乗ッをして。一所に置ィて ウ 下さりませと。ウ 此
お社へ願かけて毎 色 日のはだし参り。詞 是はしたり。いづくも同じ親心。子程不便《ふびん》な物はない。したが気遣ィ
なされな。此躮《せがれ》もお前のお子も。（39オ）追ッ付知行《ちぎやう》取にしてみせませう。どふでそうなりや嬉しいがと。
地ハル 互に詞つゝめ共血筋顕《あらは》す ウ 顔と顔。フシ 似たでまがひはなかりけり。
地ハル 岩松は 色 気も付ず。詞 コレ〳〵爺《とゝ》様。わしや早うけいこしたい。馬借《かつ》て下さりませ。ホンニそれ〳〵。合点じ
やと。地ウ 馬場《ばゝ》先キ遙《はるか》に 中 小手招《まね》き。馬借《ばしゃく》〳〵と ウ 呼かければ。ヲイと答《こたへ》てとつぱかは。ハル 走ッ寄ッて 色 御用かな。詞 コリ

ヤ馬代一ッ角《かく》先キへ渡すは。中で丈夫《ちやうぶ》な馬を借《かし》。此躮を乗セてくれろ。ヲツト心得達者《たつしや》な逸物《いちもつ》。めさせませんいざお出と。岩松誘《いざな》ひ馬場先キの。鳥居のもとへ急キ行。

跡打ながめ喜代妻は。嬉しげにナフ糸平様。傾城《けいせい》の産《うん》だ子と世間の聞へを憚《はゞか》つて。こな様ンの子にして置カしやんすりや。おのづから遠慮《ゑんりよ》して。逢《あい》見ぬ中チに成人《せいじん》したも。なみ大抵《てい》の（39ウ）お世話《せわ》で有ふか。忝ふござんすといふを打けし何ンのお礼。したがくつさめ一つさせませず。御息災ながお仕合。是も偏《ひとへ》に八幡様のおかげで有ふ。いざ此間に御参詣《さんけい》。サア〳〵お出と打連レて神前〽へこそ詣《まふで》けれ。

時も移《うつ》さず馬場先キより。手綱《たづな》かいくり乗出す。はなだの衣紋襖《ゑもんわきあけ》の。きらも月本百太郎。濃紅《こきくれなゐ》の鉢巻《はちまき》に花紫《むらさき》の肩襷《かただすき》。騂毛《れんぜんあしけ》に白泡《しらあは》かませ。鐙《あぶみ》のはとむね踏《ふみ》そらし。しんづ〳〵と。打タせたり。跡につゞいて岩松が。同し振《ふり》袖たぶやかに。ないまぜの鉢巻しめ。とんぼう結《むす》びの花襷《だすき》。りん〳〵りゝ敷キ目の内も。栗毛《くりげ》の駒に打乗ッて。並木《なみき》通リをしと〳〵。かつし〳〵とあゆませて。互に地乗《のり》のきざみ足。そなへも前ン後に乗リ連《つれ》。〳〵乗リ廻す。透《すき》を窺《うかゞ》ふ百太郎。ふり返つて（40オ）声をかけ。ヤアどなたかはしらね共。同じ蒐乗所望《かけのりしよもう》と見へ。競《きそひ》給ふはやさしいが。御覧《らん》のごとく手馴《なれ》ぬ荒《あら》馬。近寄《ちかよつ》て怪我《けが》有ルな。笑止《せうし》〳〵と呼はつて逸散《いつさん》かけんづ其勢《いきほ》ひ。

ホ、ウいかめしき先がけ呼はり。伝《つた》へ聞宇治川の先陣《せんぢん》。梶原《かぢはら》佐々木が諍《あらそ》ひに。馬の腹帯《はるび》も水底《みなそこ》の。綱切流すも謀《はかりこと》。劣《おとら》じ負《まけ》じと夕日かげ。天にも上る勇《いさみ》のかけ声。ヤツト障泥《あおり》を打合せ。蹄《ひづめ》を飛《とば》す雲霞《くもかすみ》。白砂蹴《すなけ》立て蒐《かけ》さすれば。馬借《ばしやく》は恂《びつく》り。コリヤ興踈《けうと》い。乗ッたり〳〵銘《めい》人め。いや〳〵〳〵と誉《ほむ》る中チ。駒の端《はな》を立テ直《なを》し押シ並《なら》びて引返せば。

去とは達者《たつしや》なお若衆《わかしゆ》達チ。いづれをいづれと申されぬ。蒐《かけ》は互角《ごかく》で勝負《しやうぶ》なし。爰は我等がちよと御所望。かけ的《まと》で勝負遊ばせと。竹に挟《はさみ》し榧《へぎ》取リ出し。（40ウ）松かげに立テ置イて。弓矢を渡せば面白《おもしろ》し。望む所と面《めん》々追ッ取リ。又乗戻す鳥居前。馬借《ばしやく》は爰らで腰瓢単《こしひやうたん》。一ぱいしかけて見ン物と。たべつ押サへつ只独《たゞひとり》ぐつ。〳〵とやつて居る其所へ。さつと蒐《かけ》くる高煙《けふり》。四足を宙《ちう》に乗リ飛す。馬上につがふ白羽の矢双方《さうほう》一チ度に引しほり。切て放《はな》せばあやまたず。的《まと》をはつしと打抜イて。遙《はるか》に行衛も白羽の矢先キ。勝負《しやうぶ》なければ残《ざん》念《ねん》〳〵イデ〳〵二の矢と引かへせば。両手に轡《くつわ》をしやんととめ。ヤレ〳〵ひあいや。二本共矢が当《あた》つたで中よし〳〵。必根葉《ねは》に持しやますな。けふの稽古《けいこ》はもふ是切。一ト汗《あせ》入レてお帰りと。馬借がいさめ尤と笑ひを作る両人が。馬よりひらりとおり立て。襷《たすき》取々袖扇。あふぎ立れば空を吹。梢《こずへ》の風も招《まね》かれて暫《しばら》く息《いき》をつぐ中チに。

大橋（41オ）家の若侍イ熊川瀬平《くまかはせへい》。二本ンの矢を携《たづさへ》て家来引連レかけ来り。ヤア〳〵馬借《ばしやく》。今此所より矢を放《はな》したは彼等二人か。但《たゞし》外に射手《ゐて》が有ルか。真直《まつすぐ》にいへどふじや〳〵。成ル程其矢は是成両人。只今勝負《しやうぶ》のかけ的《まと》を致されしが。二本ン共的を打抜キ。どつちへいたやら存ませぬ。ム、してそち達チは何者じや。私は月本定之進が躮《せがれ》。同名百太郎と申ます。私は幸崎巌流《さゝきがんりう》家頼《けらい》。糸平が躮岩松と申ます。スリヤ此矢は両人が射《ゐ》たに極つたな。いかにも相違《さうゐ》ござりませぬ。ソレ家来共。両人共に縄《なは》をうて。地ウ畏《かしこまつ》たとつつと寄ル。

ハル双方《さうほう》一度に色取ッて投ケ。詞寄ルまい／＼。縄《なは》うてとは何ンの科《とが》。若輩者《じやくはい》と侮《あなど》つて。狼藉《らうせき》すると手は見せぬぞ。

ヤア小さかしい躮共。御諚《ぢやうゐ》意じやが敵《てき》たふか。地ウヱ、イと驚《おどろ》く後《うしろ》より。はたと蹴《け》たをし（41ウ）押シふせて。

ウ縛《しばり》上ケたる高手小手。

ハル二人は顔を見合せて。スヱテぜひも涙に中くれながら。詞御上意《ゐ》と有を此方から返答《へんたう》致すではないが。覚なければ合点参らず。縄かゝる我々が科《とが》。様子を聞して下さりませ。ホウ其子細《しさい》は御前ンへ参り。殿の御意を承はれ。

ソレ家来共。引ッ立テい。地ハルハツト容赦《ようしや》もあらくれ敷キ。憂《うき》目にかゝる中身の科より。ウ互にしとふ親々の。ハル嘆を

ウ思ひやるせなき。涙玉ぎる。ウキン心地してノルなく／＼。上引れ　三重上行空の。

地ハル日かけまばゆき縄目《なはめ》の恥思ひ設《もうけ》ぬ中身の宇佐や。ウ八幡宮の神職《しんしよく》が掛造《かけづくり》のハル書院《しよゐん》先キ。二人の子供を色引居《すへ》させ。

ウ大橋家の執権轟《しつけんとゞろき》和田右衛門幸崎《さゝき》ウ巌流。ハル役目もおもき上意《ゐ》をハルフシ請床几《せうぎ》にかゝれば。地中瀬平をウ始メ下部共。庭に

表具《ひやうぐ》を立テならべ科人《とが》死罪《しざい》の（42オ）評定《ひやうぢやう》は。フシ 厳《おごそか》にこそ見へにけれ。

詞 ヤア何和田右衛門殿。先キ達ッてお勅使《ちよくし》には当地へ御下向《げかう》。此巌流は海上の風波《ふうは》心に任《まか》せず。漸《やうやく》今ン朝帰《き》国《こく》仕る所に俄《にはか》のお召シ。早速《さつそく》是へ参つて様子具《つぶさ》に承はり驚入リましてござる。サレバ〳〵高位《かうゐ》に対《たい》し不慮《りよ》な過《あやまち》を仕出し指当《さしあた》つて殿の御難義《なんぎ》。併《しかし》早速《さつそく》に科人《とか》相知レたれば。首討て申訳《わけ》を立テられんとの御意。則チあれ成ル岩松と申スは其元の草履《ざうり》取リ糸平が躮。まつた百太郎は月本定之進の躮とござる。夫故両家共召サる、所。いまだ定之進には帰国なき由《よし》事延引《ゑんいん》に及びなば。弥《いよ〳〵》上ミの御咎《とがめ》も重《おも》く成ル道理。両人の内是非《ぜひ》一人は死罪時《しざいじ》刻移《こくうつ》さず取計《はから》ひませう。コリヤ〳〵両人。いづれが相ィ果《はつ》る共定る（42ウ）業《ごう》と諦《あきら》め。必未練《みれん》な心を持ッな。兎角最期《とかくさいご》を潔《いさぎよ》くするが肝要《かんやう》。地ウ ナ心得たか合点かと。ハル いふも不便《びん》さ ウ 誠有ル 中 詞に二人は頭をさげ。

詞 仰の通り死後《しご》迄も恥を思ふは武士の習《なら》ひ。御前ンで様子を承はりとくより覚悟《かくご》致しておりますると。地中 わるびれもせぬ有様は。ハル 健気《けなげ》にも フシ 又いぢらしし。

折もこそあれ広庭《ひろにわ》に。騒《さは》ぐ下部を押《シ》退突退《のけつき》。月本定之進が女房おくら。家来与五郎を引連《レ》て息《いき》をはかりにかけ来り。御両所是にござりまするか。ホウ定之進の御内証《ないしやう》。あはたゞ敷《キ》体《てい》心元《ト》ない様子は何《ン》と。

サア様子はといはんとせし中《チ》見付《ケ》る我子。ヤア百太郎か若旦那。ナ、、、何《ン》として縛《しば》られてじや。縄《なは》かゝつたは何《ン》の科《とが》。どふじや〳〵と主従《しうく》が。うろたへさはげば（43オ）ア、これ〳〵母様。マアせかず共気をしづめて様子を聞《ィ》て下さりませ。私が身の上より心元ないは爺《とゝ》様。先《キ》達《ッ》て殿様よりお召《シ》なさるゝ所今に見へぬは。若《もし》都にて御病《びやうき》気でもおこつたかイヤなふこれ。夫《ト》定之進殿は何者の仕業《しわざ》か。都鳥《と》羽《ば》畷《なはて》において。討れてお果なされたといの。ヤ、、、何《ン》とおつしやる。爺様はお討《うた》れなされたそりや何やつが〳〵と。立んとするを下部が縄《なは》取引居《すへ》〳〵動《うごか》さねば。詮方《せんかた》涙はら〳〵と。はがみをなせば和田右衛門も悔《びつく》りし。何定之進は討れめされたとな。

サレハ旦那は其夜に限《かぎ》り供をも連《レ》ず都の旅宿《りよしゆく》をお出の跡。此与五郎めがけしからぬ胸さはぎ。只事ならずと存るから。おしてお供とかけ出して鳥羽《とば》畷《なはて》に行かゝれば。早御主人はあへない御最期《さいご》。（43ウ）なむ三宝敵はどつちへ逃《にげ》行しと辺《あたり》を見るも真《まつ》くらやみ。前ン後に数多《あまた》の人音して無二無三に切かけるを。かたつ端《はし》ぶち放《はな》し。雪明カりにすかし見れば一人も存ぜぬ奴等《やつら》。ぜひなく御死骸《しがい》を葬《ほうむ》り。行程《かうてい》百余里《より》を飛《とぶ》がごとくお国へ立帰りしは今朝《けさ》暁《あかつき》。其無念ンさ口惜《おし》さを御推量《すいりやう》下さりませい。ムウすりや敵は知レぬかハテ扨残念ンなといふてぬかりは有ルまいが。もし其場《ば》に落散《おちちつ》た物もなかつたか。何ンぞ責《せめ》て少シでも心がゝり手がゝりは。ないく〜と奴《やつこ》泣キ涙ふり出す計也。

おくらも涙にくれながら。イヤ申和田右衛門様。お聞の通リ方角《ほうがく》もなき我々か身の上。一ッ刻《こく》も早ふ旅《たび》立ッて敵の行衛を尋たし。憚《はゞかり》ながら殿様へ此旨《むね》お願ヒ下さりませ。サア百太郎（44オ）おじやハテ立《た》ちやいの。

イヤこれお袋《ふくろ》不慮《りよ》の嘆キに血迷《ちまよ》はれしか。アレ百太郎は科《とが》人縄付キじやが。いかにもく〜最前《さいぜん》から此様子を。問《とは》れず共申て聞ケんよく聞カれよ。此度当社へ奉幣使《ほうへいし》に立タせられし。松ノ木中納言《ちうなごん》冬満卿《ふゆみつけう》。神ン前御拝《ぎよはい》の折からいづく共なく矢一トつ来つて。冠《かむり》の巾子《こじ》にはつしと立ッ。其射人《ゐて》を詮義《せんぎ》すればあれ成ル百太郎岩松。両人がかけ的《まと》のそれ矢と有ル。しらぬ事とは云ながら太切《たいせつ》なるお勅使《ちよくし》へ対《たい》し。過《あやまち》有ッては禁庭《きんてい》への恐れ。彼等《かれら》が科《とが》は則チ殿の不調法《てうほう》。品によつて家国断絶《だんぜつ》も計リがたし。夫レ故死罪《しざい》に仰付ケられた。時の中夭是非《ちようぜひ》に及ぬと思ひ。此世の暇乞《いとまごひ》を召サれいと聞クよりおくらはハアはつと。胸も張《はり》さく憂《うき》思ひコレ百太郎ひよんな事（44ウ）仕出したなあ。父を討タれて其敵得討ぬのみかそなた迄。死ンで代々伝《つた》はつた月本の家は誰《た》が立ふ時も時親子共。刃《やいば》にかゝり身を果すはどふした因果《ゐんぐは》の報《むくひ》ぞや。日比信《しん》ずる神仏の恵《めぐみ》もないか情なや。かはいの者やと計りにて。人目も恥ず声を上もだへ。嘆クぞ道理なる。

百太郎も涙ながらかゝ様堪忍《かんにん》して下さりませ。常《つね》々爺様《とゝ》がおつしやるには。侍ィの子は稚《おさない》から武芸《ぶげい》を心がけざれば。出ッ世もならず名も上らぬ必々怠《おこた》るなと御教訓《けうくん》有リし故。当社の馬場《ばゝ》先キにて稽古《けいこ》のかけ的《まと》。過《あやまち》したは武運《ぶうん》の尽《つき》死る命は惜《おし》まね共。敵を討ぬが口惜《おし》い是ばつかりが悲しいと。嘆クに連レて猶涙いとゞ

入　中フシ
思ひぞまさりける。

地ウ
和田右衛門重て嘆キ ハル は理《ことは》り 色 去ながら。詞 勅使《ちよくし》の冠《かむり》（45オ）に当《あた》りし矢は一ト筋射人《ゐて》は両人。いづれが主シ共知レざるに。二人の命をとらば一人は無成敗《むせいばい》。是政道《せいたう》の法にあらずと御評義《ひやうぎ》の上。巌流草履《ざうり》取糸平が躮《せがれ》岩松。定之進躮百太郎と。一人宛《づゝ》の名を札にしるし箱に入レて盲突《めくらづき》。当タりし者を死罪《しざい》との仰なれば。地ウ いまだ二人が生死《しやうじ》は知レぬ ハル といふを 色 巌流引取ッて。詞 イヤサ和田右殿。両人が名を札にしるし。錐《きり》先キを以ッて死罪を定ムるとは。殿の御賢慮《けんりよ》手ぬるいく〵。なぜとおつしやれ。ハテ糸平めは拙者《せつしや》が草履掴《ざうりつかみ》。奴風情《やつこふぜい》の躮が弓馬《きうば》の道を心がけしは一ト器量《きりやう》有ルわつぱしめ。末々殿のお役にも立テそふな者。まつた月本定之進は。譬《たとへ》相手は鬼神《おにかみ》でも。一ト太刀討んず性根《しやうね》もなく。おのが刀に血もぬらずやみく〵と（45ウ）殺されしは取リ所もなき大腰抜《こしぬけ》。其躮の百太郎生ケ置ィて何ンの役に立ぬやつ。畢竟知行《ひつきやうちぎやう》盗人といふ者さ。万卒《ばんそつ》は求《もとめ》やすし一将《しやう》は得がたしと申せば。富鬮《とみくじ》も何ンにも入ぬ。岩松めをお助ケなされ。百太郎をぶち放《はな》して仕廻《しまは》つしやるが上分別《ふんべつ》ノそふは思召サれぬか。イヤもふ是に一ッ決《けつ》したがよい。ソレ百太郎めを引立めさと。おのが勝手の傍若《ばうじやく》　無《ぶ》人《じん》我レは顔に云イ廻せば。

おくらは聞キ兼《かね》コレ巌流殿。岩松を助ふとは家来の子故惜《おし》むのか。侍は相互イ難義《なんぎ》に難義重《かさ》なる我々。情らしい詞かけた迚さのみ罰《ばち》も当タるまい。それに何ンじや百太郎を打放《はな》せ。それがこなたの上分別《ふんべつ》かあたどうよくなよういやつた。お為顔で家来の贔屓《ひいき》さもしい〳〵卑怯《ひきやう》なと。（46オ）泣はらす目に血をそゝぎせきにせいて詰《つめ》かくればはつたとねめ付ケ。此巌流が順　道《じゆんだう》の了　簡《りやうけん》。贔屓《ひいき》とは案外《あんぐはい》　千万ン。サア今一言ンといふもおとなげない。高が腰抜ケ武士の女房がたは言《こと》。取上るに及ぬといふを打けす和田右衛門。イヤそふはいはれまい。不時《じ》の変化《へんくは》ははかられず。天運至《うんいた》らざる時は智勇《ちゆう》を兼し武士《ものゝふ》も。一戦《せん》に打負軍場《まけぐんじやう》に骸《かばね》を晒《さらす》事古来《こらい》より儘《まゝ》有ル例《ためし》。近カくは楠　正成新田《くすのきまさしげにつた》義貞《よしさだ》などの討死。腰抜ケ武士と笑《わらは》ふか。是等にたくらべ申ではないが。定之進もやみ〳〵と討れ相果たり共。其場《ば》の子細《しさい》を存ぜねば強《あながち》　腰抜ケ共申されまい。達ッておつしやれば何とやら御家来に贔《かたよつ》たる了簡《りやうけん》と相聞へてナ異《ゐ》な物。それは兎《と》も有レ。殿より（46ウ）仰渡されたるお仕置キ。反古《ほく》にしても大事ござらぬか。イヤサそれは。背《そむ》かれても云訳《いひわけ》有か。サア夫レは。サアなんと。全《まつた》く背《そむ》くではないが巌流が真法《まつほう》の了簡《れうけん》ちよといふて見た分ンと 地中フシ 誤《あやま》り入てひかへ居る。

地ハル 和田右衛門左右に 色 声かけ。 詞 只今御前において二枚の札。富鬮《とみくじ》に突《つき》当タる迄はいづれ共知レぬ命。 地ウ おくら主従《しうぐ》が是にひかへて 中 待チ召サれ。 詞 ソレ両人を引立いイヤサ騒《さはぐ》事はない。此和田右衛門が有からはどなたで有ふが非《ひ》道《だう》の捌《さばき》はさせぬ〳〵と。 地ウ 巌流を尻《しり》目にかけ ハル 二人の子供を引立させ。 フシ 跡につゞいて入ければ。

地ハル ほゐなげに 色 打眺《なが》め。 詞 身寄リのものは御前へ叶はぬとの仰。此巌流が吟味《ぎんみ》する一人ンも通すまい。 地ウ 御家来衆急《きつ》度《と》申渡したと。 ハル 云捨行を与五郎が 色 申シ々巌流様。 詞 今承（47オ）はれば身寄リの者は富鬮《とみくじ》の場《ば》へ叶はぬとござれ共。大切ッ成ル主人が生死《しやうじ》の境《さかい》。爰にきよろりと待ッては居られず。私計リどふぞお通しなされて。たまれやい。サアそふおつしやるは御尤。おくら様が今の様に結構《けつかう》なお前を恨《うらみ》口。定メてお気に障《さはつ》たでござり

ませうが。畢竟《ひつきやう》女義の事なりや悲しみの余《あま》り思はずしらず。云過《すご》しは幾重《いくゑ》にもお詫《わび》申《シ》ます。ハテだまれ
といふに下郎めが。イヤだまつて居らるゝ事なりや此願ひは申さぬ。高が私一《チ》人御前へ参つた迚さして
お邪魔《じやま》に成《ル》事もござりますまい。傍《そば》におつて見ましたと有《ツ》て死る人が生《キ》るでもなし。鬮《くじ》に当《あた》る当らぬ
はそりや天命《イ》なれ共。せめて目前《ン》の心ばらしどふぞお傍《そば》へやらしやつて。サア（47ウ）其やうに顔をお
ふりなされても地ハル是非《ぜひ》共お袖に縋《すが》つてもと。ウ取《リ》付《ク》腕《うで》色先《キ》もぎ払《はら》ひ。ウ鉄骨《てつぼね》の扇ふり上ハル色眉間《みけん》ぱつしり。
詞アツこりや何《ン》となされます。何《ン》とゝは慮外《りよぐはい》奴《やつ》。身寄《リ》の者は叶はぬとは。巌流が私ならず殿の諚意《ぢやうゐ》を
恐れぬ上。体《からだ》に縋つて尾籠《びらう》千万《ン》。うぬが指《さし》たそうらいしは。木か竹かそりや何《ン》の為。主を討《タ》せて敵も
得討《タ》ずのめ〳〵と生面《なまづら》提《さげ》て立帰る卑怯《ひきやう》者。主従共に打揃《そろ》つたどう腰抜《ケ》。武士たる者の風上にも置《カ》れぬ
やつ。見るもいまはし穢《けが》らはし。地ハルすさりおらふと飽《あく》迄雑言《ざうごん》フシ睨《にらみ》ちらして入にけり。
地ハル与五郎は額《ひたい》の血《のり》紙にべつたりウ見てウ惘《びつく》り。たまり兼たるウ身繕《づくろ》ひ裾《すそ》はせ折てかけ行を。色引留てコレまちや〳〵。

（48オ）詞扨は其疵《きず》付《ケ》られし上。悪《ク》たい云れて堪忍《かんにん》ならず鬱憤《うつぷん》を晴《はら》すのか。地ハル杖柱《はしら》共頼《ム》そなたが。討《チ》はたしやつてウは此上に。力《ラ》も便《リ》もないわいのふ。詞ア、いや私めが体にかゝはり。鬱憤所じやござりませぬ。若も二枚の札の内。若旦那に突当《つきあた》らば命限《かぎ》り切散《ちら》し。奪《うばひ》取て立退《のく》合点。ホウ夫《レ》なれば仕様が有ふ。男対《たい》したそなたがいては中々渡さふ様はない。わしがそつと忍んで入《リ》込《こみ》。若《もし》も躬に突当《つき》らば一生《しやう》の親子の別れ。暇乞の願《ヒ》と偽《いつは》り。奪《うばひ》取《ッ》て此掛造《かけつくり》から百太郎をおろそふ程に。そなた連《レ》て立退《のひ》てたも。いかにもそれ〳〵地ウそんなハル早ふ合点と。小づま引上かいはさみ。一《チ》ウ途《づ》に思ひ掛造《かけづくり》のヲクリ貫《ぬき》に。手をかけウ柱《はしら》を伝《つた》ふ中フシ危《あやう》さひあいさ。地ウ怪我《けが》な（48ウ）されなウあぶない〳〵色ソレ〳〵裾《すそ》が引《ッ》かゝつた後《うしろ》へはねた。ウそれよ〳〵。ソレ左《リ》の手を放《はな》すまい。サアハルもちつとじやウといふ中《チ》に。高欄《かうらん》に手をかけてひらりとフシ飛《ン》で入にけり。

地ウヒヤア何者やらくるそふな様子を見付《ケ》ハルはせなんだかと。うろ付《ク》中《チ》に色糸平が。ウまつしくらにかけ来り行ハル当《あた》つ色てあいたしこ。詞ヤア与五郎か。糸平か。けたゝましい体《てい》お身《み》やどこへ。イヤそれいふて居る隙がない。

コリヤサ先ッ待テ。扨は御前ンの様子を聞キ躮岩松がヲ、サ殺《ころ》されぬ先キ引かたげてうつ走《ぱし》るはい。イヤそりやならない。とはなぜさ。ハテ富鬮《とみくじ》の場《ば》へ身寄リの者は叶はぬとの御上意《ゐ》。何さ〳〵上意で有ふが権威《けんゐ》で有ふが。此糸平が皮肉《ひにく》をさかれ。骨《ほね》は微塵《みぢん》に砕《くだく》る共。殺す事はどふも（49オ）ならぬ大事の躮を引たくる。地ハル邪魔《じやま》ひろぐなと突退《つきのけ》てかけ行を。飛かヽ色つて引戻し。詞そちが躮をばいとられ。身が若旦那をやみ〳〵と殺さそふか。馬鹿《ばか》尽《つく》すなやりやせないは。ホウ見事とめるかくどい〳〵。江戸ハルあためんどうなこつぱ治郎《やらう》めちよつかい砕《くだ》くが放《はな》さぬかと。ウ振リほどいて突飛《つきとば》し又かけ出せばたまり兼。ウもふ赦《ゆる》されぬと抜キ打にウ切リ付クるを。ひらりとかはしコリヤ何ひろぐと抜キ合せ。打ばひらき払《はら》へば付ケ入ウ切結《むす》び。ひるまず去ラぬ切ッ先キ刃《は》先キ。フシ鎬《しのぎ》を削《けづ》りあらそひしが。地ハル互に打あふとたんの拍子《ひやうし》ウ一チ度《ど》にからりと打落《おと》し。コリヤ取ッコハリたはウとたぶさ髪。取ッつとられつ大わらは。打合捻《ねぢ》合掴《つかみ》合。組《くん》づ転《ころ》んウづこんづを流す根《こん》くらべ。ハル互ィにおとらぬナヲス力ラ（49ウ）フシづく勝負《しやうぶ》も付ぬ胴《とう》中カへ。

地ハル かけ出るおくらがすた〳〵息《いき》。コレ〳〵待ッたと声かけても。耳へも入レす打あへば。有あふ床几《しやうぎ》追ッ取ッて二人が中へわつて入。切ッ先キはつしと打伏《ふせ》押シ伏。色詞 コレ与五郎はやまるまいマア様子を聞《き》きやいの。ホウおくら様首尾《しゆび》は何ンとじや。サアあんまり嬉しうて物がいはれぬ。ヤア嬉しいとは。サレバイノまあ聞ても。両人の名をしるした札二枚箱に入突《つい》たと思や。シテ〳〵何と。サア突上た其札に書キしるしたは。巌流が草履《ざうり》取リ。糸平躮《せがれ》岩松と上カつたはいの。ヱ、イそんならあの若旦那は遁《のが》れさつしやつたか。ヲイノ百太郎は助《たす》かつたはいの。地色ハル ハ、ア、嬉しや〳〵有リがたや。夢ではないかとぞ〳〵踊《おどり》天にも上る心地《こゝち》して。手の舞足も地に付カず悦びあふぞ 中フシ （50オ）道理なる。

地色ハル それと聞より糸平が。ハア〳〵はつとはら〳〵涙。腸《はらはた》をたつ悲しさつらさ。無念ンながらも又かけ行。足に踏途《ふみど》も覚ェばこそ。気を取のぼせばがつくり〳〵。ハツト計リに腰もぬけ。上 庭《には》にかつぱと伏転《ふしまろ》び拳《こぶし》を。中フシ ハル 握《にぎ》り男泣。

地ウ時も移《うつ》さず裏《うら》門より中熊川瀬平。百太郎をハル先キに立テ岩松が死骸《しがい》ウ戸板に乗セ。下部にかゝせ色立チ出て。詞ヤア〳〵旁《かたがた》御上意《ゐ》の趣《おもむき》謹《つゝしん》で拝聴《はいてう》あれ。月本の内証《ないしやう》子《し》息《そく》百太郎。敵討の願ヒ御聞届《とゞけ》有ッて御赦免《しやめん》有ル間。勝手次第に打立ッべし。まつた糸平躮岩松が首を討。お勅使《ちよくし》へ申訳《わけ》を立られし上は。死骸《しがい》を下タし置カるゝ間。宜しく葬《はうむ》りとらすべしとの地ウ仰也と相述《のぶ》れば。ハル各々《おの〳〵》ハツト頭《かしら》をさけ。コハ有かたき御恵《めぐみ》とお請申せばウ熊川（50ウ）瀬平。フシ家来引キ連《つれ》入にけり。

地ハルおくらは猶もいさみをなし。ナフ百太郎嬉しいか。もふ是からはウ思ひの儘。ウ敵の面体形《めんていなり》かつこう。名もしらず共天地の間。命限《かぎ》り根限《こん》りウ尋出さで置クべきか。夫トの敵父の怨《あた》。ウお主を殺した天命ウ天罰《はつ》思ひ。しらせんいざお出。ウサア〳〵ウおしやと夕告《ゆふづけ》のウとり〴〵しやんと身繕《づくろ》ひ。連《つれ》て踏《ふみ》出す足もウ空飛《とぶ》がごとくに三重へ立帰る。

地ハル跡には糸平只一人リ。ウあへなき死骸《しがい》にいだき付キスヱテ泣より外の。中事ぞなき。ハルフシかゝる嘆キの。地中ウ折こそあれ様子を聞ィて喜代妻が。足もしどろにかけ来り。つまづきこけたは我子の死骸。ヤアこりや岩松。もふ死ンだか殺されたか。ヱ、最一足早くばなあ。仕様《しやう》もやうも有ふ物暇乞《いとまごひ》さへなまなかに。さつきにあふ（51オ）て親子共いはなんだで猶悲《なをかな》しい。コレ岩松。母じやはやい。母と一ト言いふてくれ。母じや。〳〵と耳《み、》に口よべど。こたへも泣さけひ前後《せんご》。ふかくに見へけるが。

や、有ッて顔を上。ずつと寄て糸平に。むしやぶり付ィてせきのぼし。ヤイ爰な奴《やつこ》づら。此岩松は。巌流様の種《たね》じやぞよ。腹を借たは此喜代妻。そなたが子分ンに貰《もら》ふたりや。殺しても大事ないか。末《すゑ》頼ない子と思ひ侮《あなど》つてしたいがい。なぜすゝめて過《あやまち》さしたなぜに殺した。まどふて返《かへ》せ生《いか》して戻《もど》せイヤ〳〵〳〵。云訳《いひわけ》も何ンにも聞カぬ。かへせ〳〵とたくしかけ。怒《いかり》つ泣つ身をふるはし狂《きやうき》気の。ごとく見へければ。

ホ、ウお道理〳〵。岩松様はたつた今。此糸平がおかへし申スと。いふより早く抜身を逆《さか》手。ゆんでの（51ウ）脇腹《わきばら》ぐつと突込鋒《つゝこみきつさきあけ》朱に貫《つらぬ》けば。コハ〳〵いかにと喜代妻が驚《おどろき》さはげば。ア、これ〳〵。お騒《さはき》なさるゝな。恨《うらみ》つらみをおつしやる。お前の嘆より。此。奴《やつこ》めが体《からだ》に余《あま》つてせつなさ悲しさ。一ト通リ聞ィて下さりませと。くるしげに。息《いき》をつぎ。

もと。此お子がお生れなさつた時。巌流様がおつしやるには。傾城の腹から出生《しゆつしやう》したる躮と。法度《はつと》きびしい家中に。沙汰《さた》有ッては気の毒《どく》。所詮《しよせん》我子にならねば。其方に遣はす程に育《そだ》てくれい。併《しかし》。成人《せいじん》したり共。必出世させんと思ひ。刀を指《さゝ》さばおのづから我名が出る。奴《やつこ》の躮は奴で通るに恥はない。草履《さうり》掴《つかみ》に仕込ンでくれいとくれ〴〵の御頼。主命是非《ぜひ》なく我子となし。おまめで寿《ながいき》なさるゝやう。岩松様とお名を付ケ。貰乳《もらひぢ》して育《そだつ》る中（52オ）も。寒風裂《かんふうはげ》しい夜もすがら。奴が肌《はだ》に添寝《そひね》のお顔。見れば見る程。爺《てゝ》御《ご》様に生キうつし。いかに隠《かく》しつゝめば辿。此糸平を。爺《とゝ》様。〳〵とおつしやるは勿体《もつたい》ない。コレお前の為には草履取リ。御赦《ゆる》されて下さりませと。お足を取ッて戴《いたゞ》く計リ。御家中のお子達チが式日《しきじつ》のお礼。びゞ敷キ供廻りを見るに付ケ。ア、浦山しや。口惜《おし》や。此儘《まゝ》に育《そだて》上るは。いかにしても本意《ほんゐ》でない。譬《たとへ》。旦那の仰は背《そむ》く共。己《おのれ》やれ。適《あつはれ》な武士にして。お名を上ふと思ふたから。弓馬《きうは》の道を教たが。迷途《めいど》の道の手引とは。今こそ思ひしられたり。さはしらずしておいとしや。けふも馬責《せめ》させませうと。いへば異《こと》ない嬉しがり。夜もろくに御寝《ぎよしん》ならず。早うお宮へ参りたい。稽古《けいこ》がしたいと打につこり。（52ウ）いさめる駒に花の顔。時の間にちる此お姿。浅間しい共悲しい共皆此奴が仕業《しわざ》ゆへ。やつぱり譲《ゆづ》りの黒どん着《ぎ》せ。草《ざう》履掴《りつかみ》のない。〳〵をいはせましたらかうは有ルまい喜代妻様。コレ御堪忍《かんにん》。是じや。〳〵と手を合せ。おがみつ詫《わび》つ身をもだへ。五臓《ざう》六腑《ぶ》をこみ上クれば眼は朱《あけ》のあめ霰《あられ》疵《きず》の口よりほどばしる血汐《ちしほ》に流レをあらそへり。

ハツア、誤《あやま》つたコレ糸平殿。そふした事とはしらずしてよしない恨《うらみ》こらへて下され。産《うん》だ計で此母は手汐にかけねば恩《おん》もなし。わらの上から世話にして。死る今端《いまは》の際《きは》迄も。片時はなれぬ養育《やういく》の大恩ふかきこな様が。腹切ッて死しやつては草のかげから岩松が。悲《かな》しむ事は思はずや。ヱ、しなしたりぜひもなやと。

思ひに（53オ）かきくれ身をかこち。消入《きへ》たへ入嘆きしが。もふ此上に生キながらへて物思ひ。嘆き重《かさ》ねて何かせん。倶《とも》に冥途《めいど》の伴《ともな》ひと刀にすがれば。

コリヤ何事。岩松様がいとしくばなぜ。ながらへて弔《とむら》はふとは思召さぬ。主を殺した大罪人《ざいにん》。あび大焦《せう》の釜底《がまぞこ》に。焼《やき》付ケらる丶此糸平。不便《びん》と思召スならば倶《とも》に御回向《ゑかう》頼ます。岩松様が。我を家来としらずして。爺様《と丶》。〳〵と嘸《さぞ》や迷《まよふ》てござりませう。今参ります。お供するぞや。剣キの山も三途《づ》の川も。抱《だい》て渡る負《おふ》てのぼるぞ待ッてござれ。喜代妻様。おさらばと。突込《つ丶》刀引廻さんとする所に。

しばらく〳〵糸平待テと。声をかけて立出る。幸崎《さ丶き》巌流一つの箱を携《たづさへ》て。二人が中にすつくと立。岩松を殺せしは糸平が（53ウ）越度《おちど》にあらず。外に方便《てだて》を拵《こしら》へて殺した者が有はやい。ヱ、イと二人が仰天《げうてん》すれば。ホ、ウ驚《おどろき》は尤。イデ其証拠《しやうこ》見すべしと。持たる箱をはつしとわれば内より出る二枚の札。コレ〳〵両人読《よん》でみよと投ケ出せば。

地色ハル 双方《さうほう》へ取上ヶて。詞 ム、〱此札にしるしたは。巌流が草履取《ざうり》ㇼ糸平躮岩松と。地ハル 喜代妻が読上《よみ》れば糸平色 恟《びつく》り。

詞 コレ此札にも。巌流が草履取。糸平躮岩松と書ィて有。コリヤ。何ッとしてとふたりが不審《しん》。ム、それ見てても合点が行ぬか。二枚の札に糸平躮。岩松と書たれば。百度《もゝたび》千度突《つく》迚も。岩松が名が上らいで何ッとせう。

定之進が躮。百太郎を助ん為。相役轟《とゞどき》　和田右衛門を頼み。其通ㇼ拵《こしら》へたは此巌流。

イヤそふおつしやつても。（54オ）岩松が命にかへ。百太郎をお助ヶなさるゝ御所存《しよぞん》。どうも合点参りませ地ウ ぬといふに巌流。ハルフシ 傍を見廻し。地色中 子細一通ㇼウ 物語《がた》らん。喜代妻はもとより糸平も。ハル 苦《くる》しく共ウ 暫《しばら》く色 微《こたへ》てとくと聞ヶ。詞 ア、いづれ。武士の身の上程。世にはかなき物はない。此度伯父御《おぢご》内膳殿には。血筋を忘《わす》れ一ッ国を押領《おうれう》せんと。根強《ねづよ》き企《くはたて》有により。世継《よつぎ》の綸旨《りんし》を奪《うば》はんが為。定之進。此巌流を召サれて。心といふ字の謎《なぞ》を預ヶ。急に返答《へんたう》致せよとのつぴきならぬ御仰。畏《かしこまつ》たと其場を立て。蜜《ひそか》に定之進と内談《ないだん》。両人共に組せずば。事顕れしと短兵《たんぺい》を以て押ㇱ寄セ給はんは治定《ぢぢやう》。さすれば。主君の御難義《なんぎ》。一ッ国の騒動《さうどう》。フシ なげかはしく。地中所詮《しよせん》一人命を捨。ウ贋物《にせ》を以ッて誠のハル綸旨《りんし》と偽《いつは》り（54ウ）色渡さば。詞暫《しばら》く国は穏《おだや》かならん。其隙を窺《うかゞ》ひ方便《てだて》を以ッて。伯父御《おぢご》親子を押シ込メなば。事泰平《たいへい》に治《おさま》るべし。是忠臣の第一と。互ィの相談《さうだん》一ッ決《けつ》し。巌流が相果《はて》んや。定之進が死スべきと。両人忠死《ちうし》の諍《あらそ》ひも。はてしなければまつ此ごとく。鬮《くじ》を以ッて。二人が生死《しやうじ》を定ムる所に。運《うん》の究《きは》めか定之進が死に当タれば。望《のぞ》む所と其身は覚悟《かくご》。是非《ぜひ》に及ばず此。巌流が手にかけ鳥羽《とば》畷《なはて》にて討はなし。彼贋物《かのにせ》の綸旨《りんし》を以ッて。内膳殿御親子を欺《あざむ》き事を納《おさ》め。誠の綸旨《りんし》は某が懐中《くはいちう》し。殿へ。直キに指《さし》上んとウフシ立帰れば。詞俄《にはか》のお召シ。見れば。岩松百太郎が過《あやまち》したる科《とが》により。富鬮《とみくじ》を以ッて。一人は死罪《しざい》との仰。もし。百太郎（55オ）に突当《つきあた》らば。外に男子もなき月本の家。断絶《だんぜつ》するは必定《ひつぢやう》。地ハルいかに科《とが》人なれば迚ウ現在《けんさい》敵のウ此巌流を。一ト太刀も恨《うらみ》ずウむざ〱殺すが色不便《びん》さに。詞二枚の札に岩松と。躬が名をしるしたは。忠義一チ途《づ》に死たりし。定之進の家をも立テ。此巌流は敵也と名乗て討るゝ所存より。彼等に雑言憎手《ざうごんにぐて》口。情なくあたりしは。スハ。敵よと出合し時。遺《ゐ》恨募《こんつのり》し刃を以ッて。裂敷働《はげしきはたら》きさせん為。

地ハル扨こそかくははからひしと。誠を明ヵす忠臣義士《し》。面《おもて》は尖《するど》き幸崎《さゝき》の鬼百合。心は隈《くま》なき月本に惜《おしま》ぬ命鑓梅フシや花かんばしきおのこ也。

地色ウ様子を聞ィて二人が驚《おどろ》き。色詞扨は。おまへのお役に立て。岩松は死ましたかへ。ホヽウ糸平。（55ウ）未来《みらい》であはゞ実の親が。悦んだと伝《つた》へてくれい。そちも又。生《しやう》をうけば。主となり家来となり。必《かならず》三世の契《ちぎ》りをたがへな。ハヽア御忠心のお物語を承はるは。則チ。智識《ちしき》の引導《いんだう》。千ン部万ン部の経よりも有難《がた》い。未来《みらい》へ追付キ。岩松様にお咄申さば。さぞお悦びでござりませう。地ハルコレ。とゝ様のお役に立ッて死にやつたを此母も悦ぶと念頃《ねんごろ》にいふてたも。遖《あつぱれ》武士じやよう死だ。出かした〳〵。けな者しやと。りつぱにいへど。上ハルノル中フシ目は涙ハル泣より。中は猶あはれなり。ユリ

ハルフシ時もこそあれ。地色ウ轟《とゞろき》和田右衛門御上意《ゐ》と呼《よば》はつてしづ〳〵と立出。ハル色詞先ン刻《こく》殿へ指《さし》上られし願ヒ書キの趣《おもむき》。御聞届有て御追放《ついほう》。一刻《こく》も早く立退《のか》れてよか（56オ）らふと申は主人の仰。イヤ何巌流殿。此上は思ひの儘《まゝ》。

定之進躮と敵討嘸《さぞ》御本ン望《もう》でござらふの。ハア、有リ難《がた》き御上意。拙者《せつしや》が心の内を御推量《すいりやう》下さるべしと。
地ウ懐《くはい》中より世《よ》継《つぎ》の綸旨《りんし》ウを取出し。ウ御前へ指上ケ下さるべしとフシ渡せば。取て押シ戴《いたゞ》き。詞誠の綸旨。巌流手より
指上ケしとは。歯節《はぶし》へも出さぬ事。定之進を討チ。綸旨紛失《ふんじつ》の科によつて。御追放《ついほう》とナ披露《ひらう》致さふ。ホウ
夫レこそ敵《てき》を押サへる計略《けいりやく》。姿は悪ク事に徒党《ととう》の巌流。追放《ついほう》せられん兼ての用意《ようゐ》。斯《かく》の通と大小投ケ出し。
ウ袴《はかま》上着《ぎ》を脱《ぬぎ》捨れば。下には垢《あか》付ウクどてら一ッハル点《てん》身すぼらしげな中一ト重《ゑ》帯《おび》。キンしほ〳〵としてフシ立出れば。
詞コレ〳〵待ッた。帯刀《たいたう》御免ン。とはなぜな。(56ウ)ハテ武士に成て百太郎に討れずば。貴殿《きでん》の本ン意は立ッ
まいがや。地ウハツト立寄リ両腰《こし》取て脇《わき》ばさめば。詞重ての御上意には。其元は国の宝。適《あつぱれ》武士の鏡《かゞみ》共成べけ
れば。百日の間御追放《ついほう》。若存命《もしぞんめい》ならば。百日の暮《くれ》の鐘限《かねかぎ》り追放御赦免《しやめん》。立帰つて一国の政道《せいたう》を執行《とりおこな》ひ。忠
勤《きん》を尽《つく》さるべしとの御仰。地ハルハ、、、ア、身不肖《ふせう》のウ此巌流にウ恐れ有ル御恵《めぐみ》。ウ委細拝聴《いさいはいてう》色仕る。詞併《しかし》。彼等が敵を
討んと尋行ク先キ々。我又。命限リに廻り逢イ。本望をとげさせねば。冥途《めいど》の定之進へ云訳《わけ》なし。お家の義は。

とかく貴殿を頼存る。ハヽア適々。敵持ッ身は誰レ迚も隠れ忍ぶが常《つね》なるに。討れんと尋行クは古今《こゝん》に希《まれ》なる義者（57オ）の道。ハテいたみ入御挨拶《あいさつ》。名残《なごり》は尽《つき》せし早お暇《いとま》。モウござらふか。おさらばと行を今端《いまは》の糸平が。中々。片時《へんし》も早ふ。若旦那のお供がしたい。御介錯《かいしやく》頼ますと。いふもしどろのだんまつま。苦痛《くつう》させじと後《うしろ》に廻り。ひらりと見へし刀の下。此世の。縁も主従《しうぐ》の縁もふつつり糸平が。切レてはかなき冥途《めいど》の道返らぬ。道としりながら子に迷《まよ》ふ道。したふ道。鬮《くじ》に当《あた》りし岩松が名を書キ印シた富札《とみふだ》を。直《すぐ》に卒都婆《そとば》と喜代妻が袖を。ちぎりて押シつゝむ首に手向《たむけ》の法《のり》の道。互にいひたい言《こと》の葉《は》も面《おもて》に。隠《かく》すはなれ際《きは》。とゞめぬも道とまらぬも。弓矢の。道の一ト筋にふり捨て行。旅の道そらも。名残や　へ惜《おし》むらん

（57ウ）

下之巻　道行千種結《ちくさむすひ》

〔ウキン〕恋風は。〔ハルフシ〕誰《たが》身の上に。吹そめて。〔中〕人の心を〔ウ〕迷《まよ》はすと。聞しも今はいたつらに。〔スヱテハル〕ふせぐもつらしふせがぬも。〔ウ〕うしや長門《なかと》の船島と。〔ウ〕鞠岡《まりおか》村をさそひ行。〔本フシ〕思ひは一つふたりづれ。〔ウ〕添《そふ》にそはれぬ中がきも。こへていつしか忍びねに。〔長地〕親の目顔はぬすめ共〔ウ〕我身は見へぬ目なし〔ウ〕鳥まだき巣《す》立《だち》に〔中〕跡さきの。〔ウ〕弁《わきま》へ何と千吉が。〔フシ〕杖失《つゑうしな》ふてとぼ〳〵と。〔中〕先《キ》へあゆめば〔ハル〕ひろい取。おまき〔ウ〕は跡にかちはだし〔ウ〕走《はしり》つまづきうろ〳〵と。〔○ウ〕振返《ふりかへ》つて〔色〕ア、嬉しや。〔詞〕誰も尋てこぬそふなと。

二人〔タ、キウ〕心も（58オ）空に鳴鐘《なるかね》は。七つか〔ウ〕六つかゆび折て。〔ウ〕よむも果なき真《ま》砂路《さこち》を。〔キンヲクリ〕ゆけ〔ユリ〕ば〔ウ〕〽ほの〳〵明方の。〔ハルフシ〕雲間に照《てら》す。朝日かげ。〔中〕さす〔ウ〕満汐《みつしほ》に浮しづむ〔ハツミ〕沖《おき》のかもめや。友千鳥。〔ハルキン〕磯打浪《いそうつなみ》の音《ト》〔中〕迄も。今を〔ウ〕名残《なごり》と〔スヱ〕ゆふしでの。〔上〕神に誓《ちかひ》し。〔クル〕身の上を〔ノル〕恵《めぐみ》も。〔フシ〕あらば此ふ〔サハリ〕たり。

せめて一《チ》日半《ン》日も妻《つま》よ夫《ト》と呼ばれ。見たや添《そひ》たや添ぶしの。其うつり香《か》も忘られぬ。きのふはけふの昔にてさりし日待《チ》の夜もすがら。

おまへが弾《ひい》てわしに歌。望《のぞ》ましやんした其しやうが。今で思へば皆身の上。ほんにそれ〳〵其歌を。うたふも聞もうき中の心ゆかしとすゝめられ。おまきは（58ウ）杖《つえ》を取あへず。思ひ詰《つめ》ては。夜も日もかよふ。憂身《うきみ》の身でもせかれても。なんの異見《ゐけん》をきこぞいな。聞《ク》も聞《カ》ぬも。此ふたりいひかはしたるかね言《こと》は。枕より外しる人も馴染《なじめ》ばいとゞいとしさの余《あま》りてもれておちかたの。よるべ定《メ》ぬ身のうさをしら露。ふかししかな草きへなば。きへね諸共に。恋し床《ゆか》しも夢の世と。思ひ詰《つめ》たる道もせに。

おまきは辺《あたり》見廻して。サア〳〵死ふじやあるまいかと。いふも一途《づ》の胸にせく涙と。倶《とも》に寄そへば。

ヤアなんじや死ふ。それは大きな了簡違《りやうけんちが》ひ。一先《ッ》内を立退《のい》ていづくで成共添《そひ》たいと。いはしやつたので（59オ）つい出てきた。死では大事の親々へ嘆をかけるがおりや悲《かな》しい。成《ル》程それ〳〵。其様にわしも不孝《かう》と思へ共。どうで追ッ手がかゝろ物見付られたらそれ限《かぎ》り。声聞ク事もならぬぞへ。そんならしんで添《そは》れるか。夫婦は二世といふわいな。それでもおれは死ともない。いやじや〳〵と顔ふりて。泣もあどなきおろ〳〵涙。はて気のよはい未練《みれん》なぞや。なんぼひきやうな事いふていやがらんしてもはなりやせぬ。しなぬ心に極つたら。しつての通り伯父様ンに。もらふた金の有たけは。一チ日ぐらしけふはけふ。阿須波原《あすはばら》迄ござんせと。手に手を（59ウ）とりて行。すがた。しどもなぎさに。打つゞきはしればはしるへ追風《おひて》ぶね。ほにほがみさきろびやうしも。浪《なみ》にたぐへてとん〳〵〳〵。とん〳〵からり。さら〳〵さつと。打よする。磯辺《いそべ》の貝《かい》をとり〴〵に海士《あま》の子供が声のあや。ゐんは異《ゐ》な物おまへの事は。心中しなりといになりと。つい〳〵〳〵。それ〳〵。まそれへ。うたふ声さへ　思ひある。胸はうつせのうと〳〵と。聞すて見すて行空に。ふるは涙かむらさめかぬれし。袂《たもと》もひぢ笠に。はしり付ィたる小松ばら。しげる木《こ》かげにたゝずみて。しばらく。晴間《はれま》を待チ居たる。（60オ）

初ッ恋に。初ッ欠落《かけおち》のしどけなさ。嬉しさこはさ足いたさ。爰にしばしとたどり寄。コレ千吉様ン。私が死ふといふたのはお前の心を引見る為。爺様《とゝ》ンの機嫌《きげん》直る迄どこになと隠れて居いと。伯父様ンに金貰《もら》ふて。コレ爰に持ッて居る。サア／＼早うあすは原迄ござんせと。手を取レば待しやんせ。そこ迄いてどふするのじやへ。ハテしるべの方で一チ夜を明カし。つもる咄もたんと有。疑《うたが》はしやんすコレ此胸の鏡《かゞみ》のふた取ッておまへに見せたい。イヤ見ませうも目がござりませぬ。アレまたしやらけた事計リと抱《いだき》付ィたる心中者。媚《みめ》に構《かま》はず顔も見ず。心いきにて惚《ほれ》そめし。是ぞ恋路の司《つかさ》也。

忍び音《ね》聞付ヶ稲《いな》むらより。によつこり出るは千（60ウ）吉が兄弟子《あんでし》嗅市《がくいち》。坊主天窓《あたま》に鉢巻《はちまき》しめ細引《ほそびき》たぐつて。コリヤ動《うご》くな欠落《かけおち》者。嗅《かぐ》市が嗅《かぎ》出したと。千吉にむしやぶり付ク。コレのふ待てとさゝゆるお巻を踏《ふみ》退《のけ》／＼。さぐり押サへてぐる／＼巻キ。縄《なは》の端《はし》を我帯に。しつかりくゝれば千吉ははら／＼。涙とゞめ兼。申シ嗅《かぐ》市様。兄ン弟子のお情に。助ていなして下さんせと。詫《わび》るも。聞ず踏倒《ふみたを》す。コレあんまりどふよくなと。フシお巻はかけ寄リいたはれば。詞ムウこな様夫レ程千吉が可愛《かはい》か。ヤちよつほ盲《めくら》めあぢをやるなア。鷹《たか》の爪《つめ》の様な物持たと思ふて。でつかい事仕出した。お師匠《しせう》様へ申上きつと仲カ間の地ハル見せしめにしてくれんと。ウ蛎《かき》の様なる目玉むき出し。ウフシ身繕《づくろ》ひ。詞コレ嗅《かぐ》市殿。かうした訳《わけ》は千吉様ンの業《わざ》じやない。皆わしが方（61オ）から云かけた事堪忍して下さんせと。地ウだまし寄てハル縄の端《はし》。ウときかゝればほうど色抱《だき》しめ。詞アラしめ塩梅《あんばい》のよき腰付キや。ア、お巻様ンむごいぞへ。月待日待祝義日の度ごとに。銭も取ラずこつちからしかけて。覚た歌はたつた四五番。夜明カしに弾《ひい》てはうたひ。地ハル諷ふては弾《ひき》。ウ根気《こんき》を砕《くだ》くはフシ皆君ゆへ。詞ちよつといはんす音声微妙《おんせいみめう》を耳《みゝ》にて聞。髩《つと》の匂《にほ》ひを鼻《はな》で嗅市。見ぬ恋にあこがれ給ふ自《みづから》をふり捨て。千吉ばつかり可愛《かはい》がらんす。コレ人と三味にはばちの有物。其ばちはコレかう当ると地ハル居所ふつつりひねりしは。フシ叶はぬ恋の意趣《ゐしゆ》ばらし。地ハルうるさけれ共色しなつこらしく。詞サアこなさんの志《こゝろざし》悪ルうは受ケぬフシ去ながら。詞アノ千吉様の事はな。いふまいこな様方に目を抜《ぬか》れる法師《ほうし》でないわいの。きやつめが事（61ウ）思ひ切ラんすりや其通リ。いやと有レば此ふけ田へ丼《どんぶり》させ。お前をわしが女房にする。けさ夜の内ソリヤ庄屋殿のお娘。欠落《かけおち》じや合点任《がってんまか》せと一番にかけ付ケ。尋に出たも当テが有。サア思ひ切気か切ぬ気か。地ハル どふじや〳〵と杖ふり上千吉を ウ 盲《めくら》打。ウ コレ待ッて思ひ切。色 イヤ〳〵嘘《うそ》じや。ウ イヤ真実《しんしつ》じやと 色 引とむれば。詞 ムウ真実じやといはんす証拠《しやうこ》が有ルかへ。サア其証拠はヲ、夫レよ。コレ此金をこな様ンへ渡す程に。わし連レて立チ退《のい》て下さんせ。ム、面白くさい。此嗅市《かぐいち》さもしい金銀に目はくれぬが。一所に退《のこ》ふと有路銀《ろぎん》ならドレ請取ふ。ソレ渡すと 地ハル 小判四五両取出し。ウ 目鼻《はな》の間《あい》へ ウ かけて退《のけ》よと 色 打付れば。詞 ヱめつさうな。手へくれたがよいわいな。地ハル 落たは爰らとさがす内。ウ 縄引ほどき千吉を。ウ そつと連レ立指足《さし》抜キ足（62オ）ウ こなたは小判に気を取ラれ。詞 ア金は有レ共肝心《かんじん》の目がない。地ウ ヱ、目がほしいなと フシ 気をせきいらち。中 腹這に成ッてかきさがす。ハル 手先キへほふる二三両。ウ 逃ケしなに又 色 蒔《まき》ちらせば。ハル くる〳〵廻るぶん 中フシ 廻し金に遣《つか》はる身ぞつらき。

乞食小屋《こじきごや》より数多《あまた》の非人《ひにん》。ヤレ御施行《せんぎやう》有がたしと。掴《つかみ》合て嗅市を邪魔《じやま》な坊主め退《のき》おれと。ざんぶり投ヶ込ム泥田《どろ》のふかみ。濡《ぬれ》故はまる濡坊主金故助かるお巻が気転《きてん》。千吉伴《ともな》ひ逸散《いつさん》に。遁《のが》れてこそは　〽帰りけれ。

浪高く世をうみ渡る沖中《おき》に。孤雲《こうん》に等《ひとし》きはなれ島。長州の地を去ル事海上《かいしやう》廿余町にして。往来《ゆきゝ》の廻船便《くはいせんびん》よき故爰に風待チ日和待《ひより》ッ。かゝる景色《けしき》をおのづから。船島とこそ名付クらん。すめる家居も。磯馴《いそなれ》て。蛎売《かきがら》の屋根昆《こ》（62ウ）布《ぶ》ふける軒端《のきば》数有其中に。浪人めける詫住居《わびすまゐ》主ジは身上《しんしやう》桛《かせぎ》の為。他国の留主《るす》も只居《たゞゐ》せぬ妻のお徳が縫《ぬい》事の。傍《そば》に子息の千吉が恋と。いふ字の味《あぢ》覚。ほころび初メし兼言《かねこと》を。三味にしらべて三つの星《ほし》。雲井にちかき我妻の。縁のきれめの。ふぢはかま。歌の唱歌《しやうが》を聞クに付ヶ。縫《ぬい》事押シやり母のお徳。ホンニ千吉其歌の通リ。アレ此舟島からめがゝりに見ゆる向里。鞠岡《まりおか》村のお庄屋の娘御お巻女良が。そなたを連て此間欠落《かけおち》。漸《やう》〱に連レて戻り。お師匠《しせう》様へ稽古《けいこ》にさへやらず。

内に計リ置ク是もそなたの為。大事の人の娘御。撩《そゝのか》したといはれぬ様に。必縁の切レ目がよいぞや。ア、か丶様案《あん》じて下さんすな。わしや目かいの見へぬ頑《かたは》者。あつちからどの（63オ）様にいはしやんしても。こちから慕《したひ》は致しませぬ。ヲ、利口《りこう》なよふいやつた。相手は此長門トの国で。人のしつた大金持チ。ほんの欲《よく》には目がないと。人様にうたはれては。他国なされてござる舟島丈《ぢやう》右衛門殿といふ。爺《とゝ》様の顔迄垢《よこれ》る。さはいへお巻女良は真実《しんじつ》そなたに惚《ほれ》てじやげな。お志《こゝろざし》の忝やと。親子が咄し。人事いはゞ目代《めしろ》をば。沖《おき》の方より押シ来る小船。爰か〳〵と指寄スるは鞠岡《まりおか》村の庄屋仁五八。娘のお巻伴《ともな》ひて舟より上る間とし遅《おそ》しと。門口より咳《せき》ばらひ。千吉のお袋お徳殿は是か。御在宿《ざいしゆく》でお宿《やど》に有リますか。ハテ娘恥しい事はない。はいれ〳〵と手を引内に入ければ。

いかにも私が。千吉が母徳でござります。おまへはマアどなた様で。ア、初対面《しよたいめん》でゐす。娘そこへ出い。

下拙《げせつ》（63ウ）義は向里鞠岡村の庄屋仁五八。是成ルが則チ娘のお巻。ホ、気疎《けんどじ》さつしやれたの。親の身では尤でゑす。おれ共今日ずつかりと来た訳《わけ》は。ヤイそこなどふ盲《めくら》め。ようも〳〵大事の娘にひゞき入レたなア。とねだりに来たか難義《なんぎ》に成ルかと。マア其案《あん》じ落付ィて貰《もら》ふ。斯《かく》の通リ娘を連レ参着《さんちやく》したは。千吉と女夫《めうと》にせうと思ふて。不肖《せう》ながら嫁に貰《もら》ふてくれなされ。与五郎といふ兄めも有ッたれど百性嫌《きら》ひ。武士奉公に出行衛知レねば。けにもはれにも一人リの娘。すいた男に添《そは》せてやりたうござるはと。地ハル思ひがけなきウ和《やはら》ぎは。真綿《まわた》に包《つゝ》むウ頭芋《かしらいも》。ほや〳〵ウ顔にこな色たも打とけ。詞そりやまあほんでござりますか。ハテ嘘《うそ》に娘が提《ひつさげ》てこられふか。一ッ時も早ふ主シ付ィて貰《もらひ》たい。夫レでもあなたにや（64オ）云号《いひなづけ》の聟様が。サア其聟の手は切ッた。お袋ぐちじや〳〵。身体《しんだい》のよい聟取ッて添《そは》するも。娘めが行末息災《そくさい》で置キたさ。ぜひ叩《たゝ》き付ケ其聟を取ルが最期《さいご》。きやつ咽《のど》ぐつさり。びり〳〵と出かける。いぢらしやの。粋《すい》な京や大坂でさへ。親々の偏屈《へんくつ》から。悲しいめを見るが沢山《たくさん》に有ルぞいの。地中ウまして是等はウ片田舎《かたいなか》の無口《むくち》者。ハル思ふ男に添《そは》せてやるがウ親の慈悲《じひ》。ウ聟へは結納《たのみ》を返《へん》色がへした。詞是が科《とが》とて。獄門《ごくも》。磔《はりつ》に。かゝつた例《ためし》はおじやらぬと。地ハル立テ引キよいウ粋《すい》形気《かたぎ》。フシ田舎《いなか》に惜《おし》き親仁也。

地ハルお巻は指寄ﾘ手をつかへ。色今から詞真実《しんじつ》のか、様と。孝行《かう〳〵》に致しましよ。かはいがつて下さりませ。ヲ、詑《やさ》しやしほらしや。仁五八様お聞なされたか。ア、聞ｷました。そんならおれが事は忘れるか。イヱ〳〵勿《もつ》体《たい》ない。聟と（64ウ）いふは慮外《りよぐはい》なれど此千吉。舅《しうと》は親と大切ッに致します。そんだいにはこちのか、様と、様の事。ム、頼みやらいでもこんだ〳〵。サア〳〵善ﾝは急《いそ》げ女夫《めをと》の盃《さかづき》。見て往《いの》じや有ﾙまいかと。

地ハルいへばお徳がほんにマア。ウ中お出のウ程を存ぜねばハル酒の用意《ようゐ》もウ納戸《なんど》より。ウ心計ﾘの小半《なから》入ﾘ。フシ提《ひつさげ》ウ出る折こそあれ。

地ウ煮売《にうり》船の色声高く。詞芋汁鯨《いもしるくじら》汁。地ウ酒よ〳〵と色漕《こぎ》通れば。詞コレ〳〵お袋。買《かひ》にいかゐでも有ﾙぞ。〳〵と立上り。汁よ〳〵と手を叩《たゝけ》ば。地色ウヲツト合点ウ指寄《さしよせ》て。煮売《にうり》まいるか色酒か〳〵。詞ヲ、八文がのついでたも。鯨《くじら》汁《じる》もせうわいの。地色ウ心得たんぽにつぎかけて。ハルかんする間に中盛《もつ》て出す。ウ煮売ﾘの汁はウ薄《うす》けれどウ女夫が中はハル濃味利《こんみり》と。

恋嫁《よめ》恋聟舅《むこしうと》 姑《しうとめ》 打こんじ妹背《いもせ》を祝《いは》ふ芋汁の丸かれとこそ（65オ）寿《ことぶ》けれ。仁五八茶碗《ちやわん》に請ヶ持チて。コリヤ娘。今ン夜計リはわが方から。ヲ、もふゑい。ちよつと呑ンだら千吉に。洩《もら》さぬ中とさせ〳〵。さらば舅《しうと》が鯨《くじら》 汁《じる》の肴《さかな》 致さふ。ヱ、謡《うたひ》 覚て居れば爰じやけれど。念仏なと申そかいノウお袋。ホ、、、、気のかるい舅御《しうとご》様ンで。仕合なは千吉。千秋万歳《せんしうばんぜい》の玉の様な孫を。ナア仁五八様。ヲ、抱《だく》共〳〵。おりや払《はら》ひせねば胸がだくつく。デヱ銭やろと巾着《きんちやく》より。酒八文に汁が六文じやの。十四文はどふやら気がゝり十三文に負《まけ》てたもと。渡せば煮売《にうり》も打笑ひ。船押シなをし漕《こぎ》出す。ハ、イヤうらもいにませう。仲人《なこうど》は宵《よひ》の程。千吉が煮売リのかげん。ぐつと娘が堪嚢《たんなう》する程。ム、ハ、、、、此跡はいはぬ事。ドリヤ〳〵お暇《いとま》 申さふ。と、様明日《あした》さんじませう。（65ウ）ヲ、五日帰り待ッて居る。おさらば。さらばと四人口々かちあふ挨拶《あいさつ》。諾《うなづ》く計リ仁五八は島遠ざかる手ぐり船。鞠岡村へと漕《こぎ》帰れば。

詞 サアお巻殿。アノ奥の間に蒲団《ふとん》も有リ。枕も二つ有ル程に。地色ウ 早うく〵と寝真似《ねるまね》すれば。詞 イヽヱ。見れば縫《ぬい》事
なさるゝそふな。私かはつて縫ませう。ヲヽよういふて下さつた。嫁なりやこそと背押《せな》シさすり。地ウ 手を取
て一ト間の内へ ハル 押シやりく〵 色 コレ千吉。詞 お巻殿は奥へいかれた。そなたもいて三絃《さみせん》ひきや。イヱ昼ル中に三
絃は弾《ひか》ぬ物でござります。又片意路《かたゐぢ》ないきやらぬか。イヱく〵つゝともわしやいやと。地ウ さぐり寄たる ウ 三絃
の。フシ いと恥しげにあちらむく。
地ウ 表テの方にから櫓《ろ》の音ト。ウ 船着《つけ》させて 色 立上り。詞 船頭太義《せんどうたいぎ》と暇《いとま》をとらせ。地色ウ 世を忍ぶ浪人姿 ウ 古郷《こきやう》の錦《にしき》 ハル 引かへて。
ウ 暮露僧《ぼろそ》（66オ）笠まぶかに 色 かたむけ。詞 女房共久しいなと。地色ウ ずつと通れば。詞 ヤア丈右衛門殿こちの人。ヤレ
千吉悦べ。地ウ とゝ様の 色 戻らしやつた。詞 ドレく〵どこにと撫《なで》廻し。ヱヽわしや顔が見たい。ヲヽ道理く〵。
地色ウ 今迄たんと ウ 待ッた物。よふ戻つて ハル 下さんしたと。ウ 右キと 中ノル 左リに妻と子が嬉し。フシ 涙にくれければ。
地色ウ 丈右衛門も 色 打しほれ。詞 ア、何国《いづく》に捨置ても真《しん》は泣寄リ。広《ひろ》い世界に誰カ其様にいふてくれう。そなたも息災《そくさい》。

坊主よ大きふ成ッたなア。無事な顔見て先ッ安堵《あんど》。今迄便リ音信《おとづれ》せぬ不届《とゞき》は赦《ゆる》してくりやれ。ア、何を訳《わけ》もない事計。併《しかし》御出ッ世なされた様にも聞ましたが。胴服《どてら》布子に紙子の火打もおちぶれたお姿。やはり御流《る》浪《らう》なされてか。サレバ〳〵。主取リもしたれど。あたはぬ欲《よく》に御前体《ぜんてい》を仕《し》損《そん》じ又元トの浪人。最《も》（66ウ）早《はや》行べき方なければすご〳〵と立帰つた。ソレ見さしやんせの。お前の侍ィ気の逸徹《いつてつ》から事おこり。親子三人此放《はな》れ島へ。流し者同然《どうぜん》の住居。ヲ、うたての侍ィいやぞと。日外《いつぞや》の旅立チに留たは爰。ア、是も有ッて過キた事。マア何より御息災《そくさい》なが幾万億《いくまんおく》の宝《たから》にも替《かへ》られぬ。ソレ〳〵か、様の云しやんす通リ。コレと、様。わしや今では三絃《しやみせん》も覚へ。見事ひん〳〵いはします。案《あん》じさしやんすな。か、り船や馴染《なじみ》の旦那《だんな》様で勧《くはん》進貰《じんもら》ひ。おふたり共に楽《らく》々と養《やしな》ひます。モウどつちへもいて下さんすなと愛《あい》らしき。詞に夫婦は顔見合せ。胸にはりくる嬉し泣。三味《しやみ》の音調《ねじめ》をしめすらん。

稍《やゝ》有ッて丈右衛門。ナニ女房共。そちには（67オ）改《あらた》めいひ聞カす事有リ。ちよと奥へおじやれ。アイ今聞カねばならぬ事かへ。ハテかゝ様いかしやんせ。わしや爰に張番《はりばん》して居る。ヲ、出かす。サア隙はとらぬ暫《しば》しの内。勝手は前にかはらずやと一ト間に入レば。ア、何シの御用じやぞ。気の短《みじか》い主シの形気《かたぎ》。遅《おそ》くばしからりよわしや行ぞや。けふはいか成ル吉日ぞ。主シはお帰り嫁《よめ》は取ル。ほんに嬉しや〳〵と。いさみてこそは奥へ行。

折もこそあれ漕《こぎ》来る小船。着間《つくま》おそしとかけ上るは月本が後家おくら。船人に一チ礼のべ。渡す船賃《ふなちん》百太郎。伴《ともな》ひて内に入。是はしたり千吉一人リか。お徳様はお宿にかと。親子か挨拶《あいさつ》耳《みゝ》そばだて。ホウ伯母《おば》様。今お帰りなされたか。サア百太郎上カらつしやれ。アイ〳〵と（67ウ）傍《そば》ちかく。申シ兄様。私はおまへの弟。どふせいかうせいとおつしやりませ。又聞ク人のない時は。真実《しんじつ》のかゝ様じや物。かゝ様といふたがよい。イヱ〳〵聞ク人がなふても。おくら様をかゝ様といふては。今のかゝ様や爺様《とゝ》へ立チません。ナフかゝ様の伯母《おば》様。マそふじやござんせぬか。

ソレ〳〵人は陰《かげ》が大事。此くらが若《わか》かりし時。定之進殿と念比《ねんごろ》して。嫁入せぬ先キ儲《もうけ》たそなた。其比姉のお徳様。宇佐八幡へ詣《まふで》の立寄リ。始終《しゞう》を咄して。丈右衛門様とお近カ付キではなけれ共。襁褓《むつき》の内よりそなたを是へ養子《やうし》におこし。其後改《あらた》め表 向《おもてむき》から。定之進殿と夫婦に成リ産《よろこ》んだは此百太郎。スリヤお徳様は。そなたの為には叔母《おば》様なれど義理有ル母様。麁抹《そまつ》にばし思やんな。貧《まづし》（68オ）いお暮《くら》し貢《みつぎ》たけれど知《し》りやる通リ流浪《るらう》の親子。敵の行衛尋兼《かね》。此国へ詮義《せんぎ》にきて此間立寄リしは。姉様にも逢《あは》ふし。そなたの顔も見たさ故と。語る中チより眉《まゆ》いらゝげ。ヱ、私が満足《まんぞく》な人間ンなら。倶《とも》々詮義するけれど。はかない悲しい頑《かたは》者。口おしうござりますと歯《は》ぎしみすれば。

ヲ、道理血筋《ちすじ》を顕《あら》はす志《こゝろざし》。嬉しいぞや。コレ大切ッな事なれど云聞カす。けふと云けふ敵の名がしれたわいの。ヱ、其敵はナ、何やつでござります。サ其敵は。此書キ付ケと懐《ふところ》より取出し。豊前《ぶぜん》の国大橋の家中。月本定之進を討ッたるは幸崎《さゝき》巌流。此書ィた物御城《しやうか》下の入口に張《はつ》て有ッた。さすれば敵は巌流なれば。百太郎を連レ引かへし。一ト先ッ小倉へいぬる（68ウ）所存。ハア、すりや真実《しんじつ》と丶様を討ッたは。巌流といふやつか。ヱ、ずだ〳〵に刻《きざ》んでやりたいなあと。地ウ搤《うでまくり》すれば色百太郎。詞兄様気遣ィさしやんすな。わしが本ン望《もう》遂《とげ》てみせましよ。ナフか丶様。それ〳〵。今宵中に国へ立テばもふ逢れぬ。地ウ随分《ずいぶん》そなたウ無事《ぶじ》で居や。ハル姉様は奥にか。ウ暇乞《いとまごひ》にとウ立を色押シとめ。詞か丶様は奥にじやが。ほんに忘れでゐました。丈右衛門様が戻らしやんして。今咄しして丶ござんす。ナニ丈右衛門様お帰りか。つゐにお目にか丶らねば。地ウ初メての対面《たいめん》が直《すぐ》に暇乞《いとまごひ》。よい時分ンにハル呼《よん》でたも。待ッて居るぞとウ百太郎がフシ手を引。かしこに入にける。

地ハルフシ奥と口とを。中隔《へだて》たる。ウ障子《しやうじ》はウ生死《しやうじ》のハルさかいぞと。明らめウ出る中母のお徳。硯《すゞり》とウ倶《とも》に縫さしのハル襦袢《じゆばん》かた（69オ）色手に詞コレ千吉。よう顔見せてと傍《そば》により。地ハルつや〳〵と中打守り。詞今おれがいふ事。よう得心《とくしん》してたもや。テモ改《あらた》まつたか丶様。何成リと。イヤ別《べち》の事でもない。母がそなたを勘当《かんどう》する。ヱ、何ンと。サ爺《とゝ》様や此母が縁《ゑん》切ッて。妹のおくらが方へ戻すからは。そなたのと丶様といふは。お果《はて》なされた定之進様じやが合点か。そんならほん〳〵に御勘当か。勘当も勘当未来永々《みらいゑい〳〵》勘当じやと。聞ク に千吉目鼻《めはな》をしかめ色真青《いろまつさを》。中か〻様。三絃《しやみせん》も精出《せい》しましよ。おつしやる事も聞ませう。どふぞこらへて下さりませと。しがみ付ィて泣けるが。心に急度《きつと》思案《しあん》の体《てい》。ア、そふじや。わしがわるい。誤《あやま》りましたと。思ひ切たる顔色にて。つつ立上るをお徳はあはて抱留《いたきとめ》。コリヤどこへ行のじや。(69ウ) どこへゆこふ死ンでのけます。ム、勘当したを難面《つれない》親と。当テ付ヶて死るのか。ヱ、か〻様。そりやあんまりどうよくな。勘当をしられても。わしややつぱりか〻様と思ふてゐる。科《とが》が有なら。なぜしかつて下されぬ。定めしお巻が事であろ。今引出して内へいなし。わしや死ンでしまひます。放《はな》して殺して〳〵と思ひ詰《つめ》ては中〳〵に。とゞまる気色《けしき》納戸《なんど》の暖簾《のれん》。

ぶらさがつてぞいぢばつたり。

なだめ兼て。コリヤ待てくれ嘘《うそ》じやはやい。イヱ〳〵。お前が何ンの嘘であろ。ハテ嘘じやといふに。母がいふ事聞ぬか。アイ。〳〵。そんならやつぱりか〻様じやぞへ。ヲ、、マ其孝行《かう〳〵》な大事の子を何ンの勘当せうぞいのと。抱《いだき》しめ〳〵わけ隔《へだて》なき。子心に不便《ふびん》さ。増《まさ》る親心漸《やう〳〵》に涙を留メ。(70オ)久しぶりで丈右衛門殿のお帰り。お巻を次ィ手に引合せ。めでたふ酒《さゝ》一トつ呑だ其機嫌《きげん》で。今のはそなたをなぶつたのじやわいの。ハアわしや又真実《しんじつ》。ほんかと思ふて恂《びつく》りした。そしてと、様は何してじやへ。サア旅草臥《くたびれ》で休《やす》んでござる。お伽《とぎ》がてらに三絃弾《しやみせんひい》て聞カしましや。イヱ〳〵まださいとかぶりおると笑はしやんしよ。何のいの。ちつと聞たい上つたであろとおつしやつた。ハアそんなら此間習《なら》ふた十三鐘《がね》。取ッて置キの三絃《しやみせん》で弾《ひき》やんしよ。ヲヽそれよかろ。早う〳〵と望《のぞ》まれて。あいと取出す。箱の内。糸に繋《つなぎ》し悪ク縁と。しらで紫檀《したん》の継棹《つぎさほ》は三つに別るゝ身の一チ期《ご》。二三の調《しらへ》取リ々に。調子狂《てうしくる》ひし母の親。襦伴《じゆばん》引寄セ書残す。

きのふはけふの一ト昔《むかし》。うき物(70ウ)語りとならの里。此世をはやく猿沢《さるさは》の。聞クに悲しき我身の上。此世をはやくさる沢とは神やしらして諷《うた》ふのか。可愛《かはい》の者や悲しやと袖打覆《おほ》ひ。むせ返る。心は真如《しんによ》の鐘《つきがね》を。一トつついては。ひとり涙に雨やさめ。二つついてはふたゝび我子を。三つ見たやと。四

つ夜毎に泣あかす。ほんに思へば。何ンの報《むくひ》かいか成罰《ばち》ぞ。ハツト泣音を。くひしめす筆も。あやなく
ふるひけり。
乱るゝ心。取なをし。ヲヽよふひきやつたもふ休《やす》みや。コレ此襦袢《じゆばん》に書ィて置ィたは。そなたの為には大
切ッな。命をつなぐ歌じや程に。叔母《おば》様によんで貰《もら》ふて。末ながふうたふてたもや。ほんに叔母様も百太
郎も。奥へ来てゞござります。ムウそれならわしやいて逢《あふ》（71オ）てくる。コレ大事に仕やゝと手に渡し。
奥へ行足。聞す音ト表テへかへす。忍び足。ふるふを聞せしらせじと。漸《やう〳〵》小船に。たとり寄リ乗出す沖《をき》
に身をしづめ。死るとしらぬ心根を思ひやる程打寄スる。涙の海の遠ざかり。名残 惜《おし》の千吉やと。ふり
返つては延《のび》上り。漂《たゞよ》ふ。浪の。引キ汐《しほ》に誘《さそ》はれ。てこそ 〽行末を。
とはしらずして。お巻は立出コレ申シ千吉様。わしひとり待タして置ィて。お前の内じやと思ふていかふよ
そ〳〵しう。但シ私はいやかへと寄リそへば。ホウよい所へきて下さつた。かゝ様が習《なら》へといふて下さりま

した歌の文ン句。こな様ン読《よん》で聞せてと。襦伴《じゆばん》渡せばいぶかしげに打守り。書キ置キの事。ヤア何ンと書置キの事とはあぢな文句じやの。跡は〳〵と摺《すり》寄ル後《うしろ》。(71ウ)おくら親子が立聞ク共お巻はしらず。何々そなたの真実《しんじつ》の爺御《てゝご》を討チしはおつと丈右衛門殿。今の名は幸崎《さゝき》巌流。ヤア〳〵其跡ちやつと〳〵。サ墨《すみ》がじゝんで読《よめ》る事ではないわいな。さすれば親子の縁を切リおくら殿へ戻す程に。頑《かたは》成リ共潔《いさきよ》ふ敵巌流を討ッてたもるが親々へ未来《みらい》の孝行。五つの時眼をやんでけふの今迄添寝《そひね》せし縁も是迄。いひ置ク事の数々は左のごとし。必未来《みらい》で千吉殿へと書ィて有。ハア扨はお果なさるゝお心か。かゝ様なふ〳〵と手足を空に狂気《きやうき》のごとく。母は奥にと心得てかけ行跡に引続《つゞき》。お巻も倶《とも》に入にける。

百太郎聞たか。此家の主シ丈右衛門といふは敵巌流。ヱヽ忝い天のあたへと身がまへして。いさむ中にも姉の生死《しやうじ》とやせん(72オ)かくやとかた心。かゝる折しも障子《しやうじ》の内に声高く。ヤア〳〵両人。都鳥羽《とば》の畷《なはて》において。定之進を討ッたる幸崎巌流是に有。イザ立寄ッて勝負《しやうぶ》〳〵と。立出る此家の主ジ。麻《あさ》上下モに熨《の》斗《し》目《め》の衣《ゐ》服《ふく》。敵討の故《こ》実《じつ》を糺《たゞ》せし其出立。ヲ、名乗ッて出るは遖《あつぱれ》々。いふにや及ぶ思ひ込し一チ念ン力出合は優《う》曇《どん》花《げ》。サア百太郎用《よう》意《ゐ》仕《し》やと。りゝ敷ク鉢《はち》巻《まき》引しめ〳〵。兼て手練《しゆれん》の腰指《こしさし》くり出し。一ト振《ふり》ふれば仕《し》込《こみ》し鑓《やり》。条《ずあい》を戻《もど》す月本流のそなへを構《かま》へ。双方《さうほう》よりねらひ寄ル。中にすつくと巌流が。だんびら提《ひつさげ》立向ふ。

ヤア〳〵巌流。そなたの為に討れたる。月本定之進が一ッ子百太郎同じく母。親の敵夫トの敵。遁《のが》さぬ覚悟《かくご》と詰《つめ》かくれば。ハ、、、、。定之進だに（72ウ）手もなく討し此巌流。われ達が手際には心もとない。ふびんながらも返り討チといはせも果ず二人一チ度に突《つゝ》かくる。はつしと払《はら》ふ手の内に。情ぞこもり句寧《うたかた》の女鳥小鳥に餌《ゑ》飼《がひ》の死身。かよはき鑓《やり》の穂《ほ》先《さき》たゆめばかけ声引立。両方入身に手も負《おは》ず。打合イはためく鋒《きつさき》より火花をちらす真《まん》中カへ。奥よりかけ出る千吉が待ッた〳〵。此勝《しやう》負《ぶ》の分《わか》らぬ中チ。いづれも様へお目にかける物有リと。両肌《はだ》ぬげば胸先キに。思ひ切たる出《で》刃《ば》包《ほう》丁《てう》。朱《あけ》にそまつてどふど座す。

地ハルコハそもいかにと三人があはて騒《さはい》で立寄ルを。ウ右左リへ押シ色退《のけ》〳〵。詞人の死る時はと丶様やおば様を。傍《そば》に置ク物じやけれどわしやいやじや。敵と敵のお前方。（73オ）一ッ所に寄ッて下さりますな。お心は矢武《やたけ》にはやつても。女《おなこ》子供の手業《てわざ》には何ンとして。其討人《うちて》は私が以前ンのか丶様弟。討《うた》れ人《て》は今の爺《とゝ》様。打負《おゝ》せても返り討でも。ぜひ一ッ方は血汐《ちしほ》の地獄《ぢごく》。地中あへない御さいごハル夫レは儘よ。是は中よしと聞遁《のが》しにして居られうか。ウ母様のお果なされしもハル命にかはつて此勝負《しやうぶ》。了簡《りやうけん》して貰《もらひ》たいと。コレ書キ置キに有ル通り。ウ私迚も其上心不便《びん》と思召スならば。モウ切合を止《やめ》てたべ。ウか丶様に追ッ付ィて敵討は済《すみ》ウましたと。云ウたうござる聞て死たいウ〳〵と。親と〳〵は仇敵《あた》。中に結《むす》びし血筋の縁キンの血のフシ中ハル涙せきとめ。兼ハルて見へければ。

地ハル巌流は身も世もあられすがつくりと刀色投捨《なげすて》。詞ア丶扨短気《たんき》な事してくれたな。実《げに》（73ウ）娑婆《しやば》と未来《みらい》に四人の親。結《むす》びもつれし乱れ糸まつかくすれば解《とき》ほどくと。見極メし目利《めきゝ》の程。地ウ目明キに勝《まさり》し天眼通《てんげんつう》ハル心の両眼ン明らか成。そちに対《たい》してしかつべらしき云訳《いひわけ》とウ成ッたれ共。一ト通リ色聞てくれ。詞定之進を討たるは互に忠義の談合《だんかう》づく。せんずる所我一チ命彼等《かれら》に渡す所存にて。首尾《しゆひ》能《よく》殿の御追放《ついはう》は請たれ共。百日の暮レ限《かぎ》り以前ンのごとく主従《しうぐ》。立帰つて国の政道《せいたう》致せよと細《こま》やか成御上意《ゐ》。其場《ば》よりおくら殿百太郎殿の跡をおひ。地ウけふは討タれんあすはハル本ン望遂《もうとげ》させんと。尋廻れど行方の中知ルざれば。ウ城下《じやうか》の入リ口寺社《じしや》の門ン々ハル人立の色有ル所へ。詞定之進を討ッたるこそ。巌流也と張札《はり》し。地ウ泊《とまり》々の旅籠《はたご》や或《あるい》は橋の野ウぶ（74オ）せりにも。りゝハルしげ成ル親子連レ又は十四五の子を見ては。ウ若シ百太郎ではないかと菅《すげ》笠まくり心を中砕《くだ》けど。ハル月日は摶環《めぐるたまき》のごとく早なふけふが色百日め。詞暮レ六つの鐘鳴《かねなる》がいなや。国へ立帰らねばならぬ主命。思ひ出せしはそちが事。元ト定之進が種《たね》なれば譬盲《たとへめくら》にもせよ。勘当して親子の縁切潔《いさぎよ》く。そちに討れる心故。最前ン女房に云含《ふくめ》て勘当。地ハル此様にむざ〳〵と殺さふとて。巌流は戻《もど》りやせぬ。思へば妻子に縁なき此身。ウ岩松と云ヒそちといひ。ウ皆我故に非業《ひごう》の死をウ見る事も。上前ン世の報《むく》ひか此世の罰《ばち》か。ウ可愛《かはい》やなアと抱《だき》しめ〳〵。ウ張詰《はりつめ》たりし溜《ため》涙。千張《ちやう》の弓絃《ゆづる》を一チ度にウ切ルごとく。前ン後不覚《かく》に泣沈《しづみ》。（74ウ）フシノル中正体《たい》。ハルもなく。取リ乱す。

ハルフシ折から遠寺《あんじ》の。下キン鐘《かね》のひゞき。地中会者定離《ゑしやぢやうり》と聞ふれば。サハリかあい〳〵とハル唐鵠《もろどり》の本フシ塒《ねぐら》に帰る黄昏時《たそかれ》。地色ハルア、ラ心うしとつつ立上り。詞ヤアおくれたか月本親子。立寄ッて討た〳〵。イ、ヤ敵は討れぬ。トハ又なぜと。地ハルいふにおくらは懐中《くはいちう》より一ッ通を取リ出し。色詞先キ達ッて夫ト定之進殿のお袋様。わしが為には姑御《しうとめご》より此お文。御家老《からう》和田右衛門様の仰にて巌流殿は大忠臣。もとのおこりは内膳親子が悪事故と仰越《こさ》れ。扨こそ家来与五郎も轟《とゞろき》殿へ奉公させ。若シお前に廻りあはゞ親子共に返り討チに。討タれて死るが身の本ン望。一ッ時も早う御帰国《きこく》なされ。殿のお役に立ッてたべ。地中それこそ夫ト親への面晴《めんばれ》。ハル岩松殿の御最期《さいご》（75オ）も百太郎を助ウん為。情有ル御はからひ恩《おん》は有レ共恨《うらみ》はなしと。ウ覚悟《かくご》極めし二人が体討人《ていうちて》も討人討タれ人《て》も古今《ここん》に希《まれ》成ル忠とフシ義理道と道とを諍《あらそ》へり。

詞ヲ、其云訳《いひわけ》は去ル事ながら。一ト太刀にても我を討タずば心は立ッて表テは立ッまい。地ウ月本の家を捨る所存かなハルんと〳〵。詞ナフ其巌流爰に居る。けふよりとゝ様の名を付ィて。千吉を改《あらた》め幸崎巌流。サア両人寄ッて本ン

望遂《とげ》い。ヲヽ汝が死ぬ其先キにと。刃《やいば》取ル手におくらは縋《すが》り可愛《かはい》そふにあれ程迄。孝行な子に未来《みらい》を迷《まよ》へ
といふ事か。ソレ〳〵。サアおくら百太郎とゞめさゝぬか。テモ勿体《もったい》ない兄様や。産《うみ》の我子にそもやそも。
何ンとゞめがハアはつと。勢《いきほ》ひたるめばヱヽどう（75ウ）よくな。苦《くる》しいわいの二本の鑓《やり》。さぐり取ッ
て胸元トへ。突《つき》立テ〳〵渤《ほとばし》る血に噎《むせ》かへれば。苦痛《くつう》をさせじと鑓《やり》の柄《ゑ》は持チながら。必々こちらが様な因果《ゐんぐは》
な親と縁結《むす》ぶな。さらば〳〵。幸崎巌流夫トの敵。親の敵覚《おぼ》へたか。覚へぬ手先キふるひ声。南無阿弥陀《なむあみだ》
とゞめはさせ共人々の涙に。とゞめはなかりける。
折から一ト間にばた〳〵と。足音ト高く聞ふれば。巌流立ッて見ればかよはきお巻がいましめ。解《とく》より早く
かけ寄ッて。血に染《そま》りたる亡骸《なきから》を押シ動《うごか》し〳〵。余《あま》りの事に物いはず有あふ刃物《はもの》取上ケて。既《すで》に自害《じがい》と見へ
ければ巌流声かけヤア暫《しばら》く。様子を聞ば其方は与五郎が妹とや。死る命をながらへて兄弟心を一ッ致《ち》（76
オ）になし。内膳が館《やかた》へ入込怨《あた》を報《むく》はゝ千吉が。未来《みらい》の迷《まよ》ひも晴《はれ》ぬべし心得たるかと。思慮《しりよ》を込たる計《はから》ひ

に。死を止《とゞま》るも夫ト の為孝行ふかき千吉が。名を改《あらた》めて死たりし其物語末の代に。巌流島と名に高し。

かゝる折しも。早手《はやて》船《ぶね》押シ切来るは庄屋仁五八。お徳女良の死骸《しがい》がの。浪にゆられて寄リし故。死ナれた訳も聞ふ為真身《しんみ》の回向《ゑかう》も請ケさしよと。コレ此船に乗セて来たといふに人々こがれ寄リ。妻よ姉上おば様のふと嘆キの数々物語レば聞に悲しさ果《はて》しなし。

時に聞ゆる数多《あまた》の人音ト。コハ〳〵いかにと足よは共一ト先ツ奥へ忍《しのば》せて。海上《かいしやう》きつと見渡せば。数十《す》艘《さう》の苫《とま》舟に。輝《かゝやき》渡る石炭《すみ》松明《たいまつ》陽炎《やうゑん》と。旭《あさひ》の出る（76ウ）ごとくにて着込《きごみ》の武士共小船ンに取リ乗リ〳〵。此島目がけ追ツ取リまき。中カにも一チ人ン蓑《みの》笠かなぐり。舟越大蔵大音ン上。ヤア〳〵幸崎巌流。儕レ誠の綸旨《りんし》と偽《いつは》り我々を欺《あざむく》段旧悪言語《きうあくごんご》に絶《ぜつ》したり。父内膳の仰を受ケ。うぬが古郷の此島へ来るは治定《ぢぢやう》と煮売《にうり》船。家来を忍ばせ見届《とゞけ》た。者共つゞけと下知すれば。

巌流は居尺高《ゐだけだか》怒《いか》れる眼《まなこ》朱《しゆ》のごとく。ヤア国賊《こくぞく》めほざいたり。忠有ル月本手にかけしも。うぬら親子が身命《しんめう》を全《まった》くあらせん為成《ル》に。恩《おん》をしらぬ人畜類《にんちくるい》はる〲来るは自業自滅《じごうじめつ》。イデ定之進が供養《くやう》の為。主人へ帰《き》参《さん》の家土産《いへづと》に一《チ》々うぬら海底《かいてい》の。水屑《みくず》となさんとむらがる（77オ）大勢事共せず。陸《くが》にすゝみし雑兵《ざうひやう》共。右往左往《うわうざわう》に投《なげ》ちらせば。ソレ長道具にて引倒《たを》せと。船を渚《なぎさ》に漕《こぎ》寄《セ》〱長柄《なかへ》の熊手鳶《とび》口を。追《ッ》取《リ》延《のべ》てかけ向ふをもぎ取《リ》〱たぐり捨。間近《カ》く来るを人礫《つぶて》。遠く逃《にぐ》るを遁《のが》さじと手練《しゆれん》も尖《するど》き巌流が。家に伝《つた》へし手裏剣《しゆりけん》を打立〱なぎ立る。眉間《みけん》両眼咽喉《のどぶへ》胸板打《タ》れて海に数十人。紅《くれない》染る大海におり重《かさ》つて死てげり。ヱ、大蔵を討洩《もら》せし残念《ン》やと。沖《おき》を遙《はるか》に眺《ながめ》やり。よし〱是は追《ッ》ての沙汰《さた》。我は是より豊前の国へいざ旁《かたぐ》も諸共に。伴《ともな》ひ行や親と子が。亡骸《なきがらいだ》抱く袖袂涙かた手に仁五八は。小倉へ海上近《カ》道の。案内《あない》は我等と誘《いさなひ》て櫓《ろ》（77ウ）を立直《なを》し押《シ》て行。是水葬《すいさう》の玉よばひ其亡魂《なきたま》も。彼岸《かのきし》に至《いた》り至れよぐぜいの船。憂《うき》をしがらむ花筏《いかだ》。浪の哀《あはれ》や磯千鳥《いそちどり》なく〱。　別れ

カブキ歌

久かたの光り長閑《のどけ》き春の日に。しづ心なく花やちるらん。唱歌《しやうが》は千代をことぶけど主《ジ》は舟越内膳が。

悪ク事を工《たくみ》に建《たて》ならべ軒《のき》を隣《とな》れる下モ屋敷キ。庭の植込掃除《うへごみさうぢ》の役下モ部《べ》二人が箒《はうき》目に水際《みつぎは》立る計なり。茶の間のお辰お春も倶《とも》に。座敷廻りを巾仕《ふきし》舞《まひ》。コレ〳〵金助鉄《てつ》平殿。けふは内膳様。何やら御相談《さうだん》なされる迚。此下モ屋敷へお成リじやげな。大蔵様はきのふよりお越シなされて。夜すがらの琴三絃《ことさみせん》。わしらが請取ッた役は（78オ）しまふた。ちと休《やすま》ふじや有ルまいかと。いへば金助鉄平が。うらゝもいきせきしもふたりや。がいに腹がぐねて来た。金助こいさ。一ぱいせうと打連《つれ》て。お定りなる匆栄《もつさう》の。お台所《たいどころ》へ急ぎ行。

跡にお辰がコレお春。此お巻は何してゐやるや。さればいの。漸《やう〳〵》此ごろの新参ンで若旦那のお気に入。今奥でお腰《こし》打ッたり足さすつたり。アノ糸の様な目もとして。大蔵様をつなぎやつたと。そしる後《うしろ》にお巻が立チ聞。又わる口いやるの。堪忍《かんにん》せぬと追ッかけごくらざは〳〵と。帯《おび》から下のしどけなく。

庭に折しも切戸口。樽《たる》引かたげ奴《やつこ》が案内《あんない》。コレハ〳〵隣《となりや》屋敷《しき》の与五郎殿。サア〳〵こちへ。ナイ〳〵と両手をつき。今日は。（78ウ）内膳様此下モ屋敷へお成の由承《よしうけたま》はる。何がな御饗応《もてなし》と存る所。

至来《たうらい》の若緑《わかみどり》。軽微《けいび》ながら御献上《けんじやう》。宜《よろ》しう御披露《ひろう》下さるべしと。和田右衛門申付ヶましてごはりまするト。地ウ 舌《した》を廻する口上に。ウ 風味《ふうみ》も嘸《さぞ》とウ 白木の樽。ハル お取次と中 指出せば。春 地色ウ 婬《こしもと》 共ソレ 色 お巻女良。詞 お茶でもしんぜて下さんせ。お使ィの趣《おもむき》 申上んと。地ウ 樽《たる》を伝手《てんで》に持チ添《そへ》て。ハル フシ 二人は奥へ行跡に。

駒 地色中 お巻はあたりウ 見廻して。ハル 兄様おまめでお嬉しや。元 詞 ア、音ト高しと声をひそめ。此間の文通《ぶんつう》に一チ部始終《ぶしじう》皆聞た。親父殿もお達ッ者で先ッめでたい。マア何より巌流殿の忠臣故。敵討チも無事《ぶじ》に納《おさま》り。主人達チも先ン知《ち》にかへられ大殿（79オ）にも嘸《さぞ》御満足《まんぞく》。尽《つき》ぬ縁とて兄弟が一ッ所に寄ルも忠義の存ン念。天道の引合せ忝い〳〵。扨かやうに入込ミしも悪ク事の根ざしの内膳親子。何とぞ密《ひそか》に殺害《せつがい》せん為。幸ィ合壁《かつぺき》の轟《とゞろき》 殿に身を寄セて時節《じせつ》を待ッ。けふ内膳がくる事しらぬとはいはれまい。なぜとうからしらせぬぞ。駒 サア大蔵は先キへきてゐれど。元 片時キ傍《そば》を離《はな》さねば。ム、何ンで又大蔵がそちを傍《そば》に置キたがる。駒 さればいな。われに惚《ほれ》た靡《なびい》てくれの。イヤ帯を解《とけ》のと夫レは〳〵付ヶ廻しつ。元 ヲ、夫レこそ幸ィ。マ打とけてなぜ心赦《ゆる》させぬ。寝首《ねくび》かいても手柄《てがら》に成ルがや。〔駒〕サアそれも合点《がつてん》なれど。日外《いつぞや》お前にいふた通リ。千吉様ンが死ナしやんして。私も倶《とも》にと思ふた（79ウ）所。死る命をながらへて。斯々《かう〱》せいと巌流様のお指図《さしづ》故。云合せての奉公。何ンぼお主のお為じや迚。さもしい心は持チませぬ。〔元〕サ尤なれどそこが忠義。随分《ずいぶん》万ン事に気を付ケよと。〔駒〕〔元〕地ウ 囁《さゝや》き黙《うなづ》く兄妹《おとゝい》の。ウ 外には人も白張《しらはり》の。ハル 〔上総〕ウ 障 子《しやうじ》のかげに大蔵が。聞ク共白洲《しらす》に二人が蜜事《みつじ》。色 〔元〕詞 コリヤ必命惜《おし》むな。〔駒〕すはといはゞ此高塀《たかへい》をのり越《こし》て。〔元〕ヲ、死ナば一所ぞ合点《がつてん》かと。地ハル しめし合セて与五郎は隣《となり》 屋敷へ。フシ 立帰る。〔駒〕地色中 お巻は一人リとや角《かく》と。ハル 心も少コし打はるゝ。ウ 明カり障 子《しやうじ》を引明クれば。フシ 〔上総〕詞 コリヤ〱女めそこ一寸も動《うごく》など。地ハル 立出る大蔵お巻が衿元《ゑりもと》引掴《つかみ》。ウ 色 詞 うぬ与五郎めと不義ひろぐな。イヤ蜜通《みつつう》しておるな。〔駒〕なんの申。恐《おそ》ろしい事おつしやる。微塵《みぢん》も覚《おぼへ》は。〔上総〕ヤアない（80オ）とはいはさぬ。此高塀《たかへい》を乗リこして。しなば一ッ所とぬかしても不義でないか。イヤサ。此鼻《はな》に口たゝかし返答《へんたう》は何ンとじや。掟《おきて》をそむく徒《いたづら》 者め見るも中カ々腹立と。地ハル 蹴《け》たをし〱踏《ふみ》さいなみ血気《けつき》にはやる大蔵が。中 恋に逆《さか》立ッてへんの息烟《いけふり》してゝん天窓《あたま》の大髻《たぶさ》。ハル ウ 弘法《こうぼう》大師《だいし》の筆捨《ふですて》若衆。 ウ もて余《あま》してぞ。 フシ 見へにける。

駒 地ウ お巻は一チ期《ご》難義《なんぎ》の迫門《せと》。 ハル 不義といはねば兄弟共。 ウ しらせては大事ぞと。だくつく胸を 色 撫《なで》おろし。 詞 忠《ふつゝか》な私に勿体《もったい》ない御執心《しうしん》。有リがたいやら嬉しいやら。ついアイと申たけれど。友朋輩《ともほうばい》の目口かはき。かげ言《ごと》の聞づらく。 地ウ すげなう見せしは ハル 人前ェ計リ。誓文《せいもん》くされ ウ 底心《そこしん》は 中 お前次第と ハル 身を寄セて。詞でしかける 中 上手《じやうず》者。

上総 （80ウ） 地ウ ふはと乗セられ ハル 大蔵は 色 色をなをし。 詞 コリヤ。そんなら身がいふ通り書キおれと。 地ウ 有リあふ硯《すゞり》さし寄セて。 ウ きめ往生《わうじやう》に詮方《せんかた》も。

駒 なまめく庭のおみなへし。 フシ 筆にも露の仰《おゝせ》書キ。

上総 詞 ちよと申参らせ候。不義の密通顕《みつつうあら》はれ。御奉公も成リ申さず候故。いづ方へ成リ共立のき夫婦に成申度候。今宵《こよひ》四つの鐘《かね》を相図《あいづ》に此塀《へい》を越《こし》。其御方へ参り申べく候。御返事此方の塀際《へいぎは》に待チ居申候。ヨイハ封《ふう》じい。

駒 シテ此文の宛名《あてな》はへ。

上総 与五郎殿まいる巻より。ヲヽよし〳〵と追ッ取ッて。 地ウ 小石をひらいくゝり添塀《そへべい》の ハル あなたへ投《なげ》文の。 ウ 落る所は 中フシ 兄弟が。契《ちぎ》りのあさきはじめなる。

春 地ウ 勝手口《かつて》には内膳様。只今お入とさゞめく声。駒 （81オ） 詞 アレ申はやお越遊《こしあそ》ばした。地ウ ドレお迎《むか》ひにと立ッて行 上総 ハル 首筋取ッて引戻《もど》し。色 フシ 用意《ようゐ》の早縄。地色ウ 生《いき》者に油断《ゆだん》がならぬと猿轡《さるぐつわ》。ハル ウ 引しめひつ立。中 疑《うたが》ひかゝる縄目の恥心 トル 奥にぞ。〽入にける。

春 地中 ならぶ家居《いへゐ》もつぎ〳〵しく。ハル 轟《とゞろき》 ウ 和田右衛門が一ト構《かまへ》憂《うき》身を爰に与五郎が。ウ 主人が好《この》む小鳥籠《かご》かた付ヶ庭 フシ におりしもあれ。地ハル 落たる一通《つう》ひろひ上ヶ。ウ よく〳〵見れば。詞 与五郎殿へ巻よりとは。扨はしらせか忝いと押シひらき。地ハル 一チ々に 色 読《よみ》返し。詞 とまりにかしくと書ク筈《はづ》をのしくと書ィたは心得ず。成ル程筆は妹が手跡《しゆせき》。不義の密通《みつつう》顕はれしとは。扨は最前《さいぜん》ちよと逢《あふ》たを大蔵に見付ヶられたか。何にもせよ妹に。地ハル 今一チ度逢ての上 フシ と高塀《たかへい》ちかく立チ寄レ（81ウ）ば。

地ハル 一ト間の内より声高く。色 詞 津《つ》の国《くに》の野《の》宿《しく》の里に仮寝《かりね》して。松はねごとに顕《あら》はれにけり。扨はいよ〳〵顕はれしか。地ハル ハアハツト立チとまる後《うしろ》の方。ウ 和田右衛門立出。色 詞 いかにも汝が推量《すいりやう》の通り顕はれたはやい。ハツト計リにしあんの体《てい》。和田右衛門裾《すそ》はせ折。与五郎つゞけとかけ出す。コリヤお旦那何国《いづく》へござるな。ハテしれた事。隣屋敷《となりやしき》へ内膳が来るは幸イ。一チ々親子が首を取ル爰放《はな》せ。サヽ、そこが計略《けいりやく》。暫《しばら》く御待チ下されと。袂《たもと》より以前ンの一通《つう》。是を御覧と指出せは。取上ケてとつくと読《よみ》。然らば返事を認《したゝ》めよと。有リあふ料紙《りやうし》と硯箱《すゞりはこ》渡せば与五郎てつとり早く。さら〳〵と書ク文言《もんごん》。ついにしみ〴〵と御物語《ものがたり》致す事も御座なく候。ケ様《かやう》（82オ）の御文御主人ンに聞へ候ては難義に罷リ成候。重《かさね》て左《ざ》礼《れ》言《こと》必《かならず》御無《む》用《よう》に候以上。ヲヽ敏《とき》々は則チ功《こう》有。片ン時も早くつかはせよと。指図《さしづ》に石を巻添《まきそへ》て高塀《へい》より投ケ込ンだり。轟《とゞろき》重て。若シ此跡はかう〳〵ならばかう〳〵せいと耳に口寄セ囁《さゝやけ》ばいかにも〳〵。我々兄弟が命捨れば一国の治《おさま》る事。寸ンにもたらぬ奴《やつこ》が忠義お気遣下されなと。身繕《づくろ》ひする其所へ。とつた〳〵と金助鉄平勢《いきほ》ひ込ンでかけ来り。ヤア与五郎の毛二才め。主人がお召シだうせおれと。一チ度に寄ッて引立れば。コハ狼《らう》藉《ぜき》と指込肘《さしこむかいな》。両手に捻《ねぢ》てもんどりうたせ。身に覚へなき与五郎に無《む》法《ほう》の挙動《ふるまひ》。子細をぬかせなんと〳〵。

ヤア覚ェないとはのぶといやつ。お巻（82ウ）めと不義働《はたら》き塀越《へいごし》に状のやりくり。旦那が眉間《みけん》にでつかちない疵《きず》が付ィて額《ひたい》は血だらけ。うせ上ヵつて云訳《いひわけ》せろ。サア縄地フシか丶れと詈《のゝし》れば。地ウ轟《とゞろき》 与五郎顔見合せ。ハル手筈《はづ》を色心に悦ひながら。詞ヤア両人一通りは聞へたが。与五郎めは身が家来。家来が麁《そ》相《さう》は主の誤《あやま》り。なぜ此和田右衛門に貰《もら》はぬやい。一チ言ンのこたへもなく法外《ほうぐはい》 千万ン。縄ぶつてよくばうぬらは頼ぬ。委細《さい》聞届《とゞけ》た。追ッ付ヶ与五郎詫《わび》にやる。地ウ其通り帰つていへと一ハル本ンさ丶れ。ウ然らば早くと云捨て手フシ持ぶさたに帰りける。地色ハル跡に二人が色しすまし顔。詞随分《ずいぶん》ぬかるな合点か。地ハル御意《ゐ》にや及ぶまウつかせと走《はしり》 出ればコリ色ヤ待テ々。詞用意《ようゐ》はいかに。ハア心覚の此一腰《こし》。相州政広《さうしうまさひろ》親重代《ぢうだい》でござりま（83オ）する。地ウ和田右衛門柄《つか》持チハルそへ。ためつすがめ色つとつくと見。詞しとぎ鍔《つば》に二枚切羽《せつぱ》はゞきのせめ迄ヲ、見事〳〵。必首尾《しゆび》せよせくな〳〵。ノリハ、ア譬《たとへ》内膳親子の者。天魔《てんま》破《は》旬《しゆん》が術《じゆつ》をなす共。我又力士《りきし》の勇《ゆう》をなし。本ン望とげんおさらばとい地フシさんで出れば。詞ヤア暫《しばら》く。是は当麻《たへま》の小脇差《わきざし》。当座の餞別《はなむけ》。ハ、、、地ハルハツト両手に押シいた丶き。ウ用意《ようゐ》はかくとウフシ懐 中《くはいちう》すれば。〈詞〉出かした行ヶ。〈地ハル〉おさらばと隣《となり》〈ウ〉屋敷《やしき》へ。〈三重〉〽急ｷ行。
[上総]〈地ハル〉庭のかたへに土壇《どだん》を構《かま》へ。〈ウ〉大蔵床《しやうぎ》几に腰《こし》〈色〉打かけ。〈詞〉ヤイ金助。鉄平。隣屋敷の与五郎は来ておるかやい。
是へよべ。[春]お次の小庭にひかへおります。与五郎旦那のお召なさる是へ出ませい。[元]〈地ウ〉ナアイ〳〵と出来る与
五郎が。〈ハル〉兼《かね》て胸にも（83ウ）覚への一ト腰《こし》。〈ウ〉指かためたる切戸口。御用いかゞとおとなへば。〈フシ〉〈下〉[上総]〈詞〉苦《くる》しうな
いつつとまいれと。〈地ウ〉切ﾘ柄《づか》の目釘《くぎ》をしめしするりと抜《ぬき》。〈ハル〉かいげの水を抜ｷ身に請ヶてさら〳〵〳〵。〈ウ〉つたふ
雫《しづく》を与五郎がふり向ｸ顔に爪はぢき。〈中〉[元]かけても〳〵蓋《かいる》に水。〈ハル〉眕《またゝき》もせぬ面魂《つらたましゐ》。[上総]〈詞〉ヤイ両人与五郎めが一ト
腰を請ヶとれ。[春]〈地ノル〉ハツト寄ｯても二人の奴《やつこ》。〈ウ〉手並に懲《こり》て手もさゝねば。[上総]〈詞〉ヤイ下郎めなぜ刀を渡さぬやい。[元]ソ
リヤ又なぜでごはりまするな。[上総]うぬ憎《にく》いやつ。女めと不義の蜜通《みつつう》遁《のが》れぬ所。轟《とゞろき》に囉《もら》ふた儕ﾚ。刀を請取ﾘ
手討にするさ。[元]コハ思ひよらぬ仰。全《まつた》く不義は仕らぬ。[上総]イヤ小ざかしい法度《はつと》をそむくのみならず。剰《あまつさへ》
身が面《つら》になぜきず（84オ）付ヶた。[元]テモ不義は仕らぬがム、、、、。ハ、、、、そりやおまへ様のお面《つら》の゛

不気転《きてん》から。塀越《へいごし》に闇《やみ》の礫《つぶて》。何国《いづこ》へ飛ふも奴めが工《たく》ぬ事。身に覚ない難題《なんだい》の千話《ちわ》文。すぐ様返ッ事致したが不義でない申訳《わけ》。子供遊びの石てんがうも同然《どうぜん》。上総 イヤだまり上ヵれ。不義でなくは表テ向キからなぜ返事は持てこぬ。元 サアそれは。上総 なんと。重々《ぢう〳〵》の不届《とゞき》やつ。ソレ刀もいで取レ。春 地ウ ノリ 御意《ゐ》じや。〳〵と金助鉄平。ウ 向ふてかゝれば元 身をかはし。ウ するりとぬいたる刀の電光《でんぐはう》。ハル 二人の奴を切ふせ〳〵フシ 手練《しゆれん》もすばやき其働《はたら》き。

上総 地色ハル 色 大蔵は詰《つめ》寄て。詞 手むかひひろぐか。地ハル サアなんと〳〵。そり打かくれど 元 色 びく共せず。詞 手むかひの段じやござらぬ。丸腰に成ッて手討にあふとは。町人か又（84ウ）は盗賊《とうぞく》の切リ捨。不肖《ふせう》なれ共和田右衛門が中間与五郎首は首。胴《どう》は胴と刻《きざま》れても。魂《たましゐ》は放《はな》さぬ〳〵。イザ。地ハル 此儘に遊ばせと首指のべたる其有様。色

上総 詞 ヲ、こりやわがいふが尤じや者共参れ。死骸《しがい》片付ケい。其盃キ是へ持テと。地色ウ 用意《ようゐ》の樽《たる》よりだんぶと請ケて ハル さらりとほし。ウ 与五郎。フシ 呑メと投ケやれば。元 詞 コリヤ何ッのお盃でごはりますな。上総 適《あつぱれ》な手の中歩《ぶ》中間ッにはういやつ。手討をゆるし拘《かゝへ》てくれる。元 ハ、云やうが面白《おもしろ》い。奴冥利《やつこめうり》盃キ頂戴《てうだい》仕る。お酌《しやく》慮外《りよぐはい》と一つ受ケ。

地ハル 呑んとすれば。[上総]詞 コリヤ先ッ待テ肴《さかな》くれう。お巻めを呼《よび》出せ早く〳〵と詞の下。[駒]地ハル 切戸のかげより中 引出す。

本フシ 見るめいぶせきハル 誡《いましめ》を。中[元] 見て見ぬ顔のウ 与五郎が。ハル 我身にかゝる思ひ（85オ）中 にて。フシ 空目づかひぞ不便《びん》なる。

[上総]詞 身が恋の怨敵《あた》。与五郎肴《さかな》受ケとれと。地ハル お巻が髱《たぶさ》引寄セて。ウ 心もとを指通《さしとを》せば。[駒] アットさけぶも猿轡《さるぐつわ》。

ウ 苦《くる》しみふかき有様に。[上総]詞 ア、小気味よい〳〵。ばた〳〵とはね廻るな。主をだました天罰《ばつ》こたへたか。ヤイコリヤそこな一チ文奴《やつこ》。うぬ女房を殺され無念ンに有ふな。[元] ムハ、、、ハア、もとより覚なければ。中ヵ々何ン共存ませぬ。[上総] ハテしぶとい。無念になくば女めが首を地フシ ぶてと突放《つきはな》せば。[元]詞 ナニ。私に首をぶて。

[上総] ヲ、サ。[元] 此義は御免ン。[上総] 御免ンとは胡論《うろん》者なぜ討タぬ。[元] ハアぜひなしと。地ハル 胸を定めて色 歩《あゆみ》より。詞 疑《うたが》ひ請るも互の不運《ふうん》。地ウ 必思ひ明らめよと。ハル 手拭《てぬぐひ》ほどき見合す顔。[駒] お巻は怒《いか》る目に涙。ウ かく成ル事と色 知ッたら（85ウ）ば。

詞 よい折も有ッた物。不覚《かく》を取ッて口惜《おし》い。地ウ され共お前の手にかゝり死るハル色 嬉しさ。詞 早う千吉様に追ッ付ィて。未《み》来《らい》で女夫に成ル楽《たの》しみ。地ハル お前は無事《ぶじ》で居てたべと。ウ 名残を惜《おし》む真身《しんみ》の泣寄リ。[上総]詞 ヤア隙《ひま》取ッて見苦《ぐる》しい

［元］地ウ と。声かけられてはつと計リ。振《ふり》上る刀の光りあへなく首は落にけり。

［上総］詞 出かした〳〵其首持テ。［元］ナアイ〳〵と。［上総］立寄レば。ヤア主の前へ抜キ刀慮外《りよぐはい》者と声の中チ。［元］地ウ 刀投ケ捨妹が首。砂《すな》打はらふ後《うしろ》より。［上総］ウ 大蔵がだまし打 ［元］ウ さしつたりと飛しさりぬけつ。くゞりつあしらふ中チ。隠せし相口抜ク手も見せぬ手利《てきゝ》の達者《たつしや》。［上総］詞ノル ヤア懐剣《くはいけん》迄用意《ようゐ》の曲者《くせもの》。微塵《みぢん》にせんと討ッてかゝる。［元］地ノリ てうど受ケて嘲《あざけ》り笑ひ。儕レ等親子が悪事の段々委《くはし》く（86オ）しつた。お巻といふも身が妹。覚期《かくご》せろと呼はれば。

［上総］地色ハル 大蔵は牙《きば》を噛《かみ》。扠はうぬ月本が奴民部が廻し者に極つたな。［元］ヲ、サよい推量《すいりやう》 ［上総］扠こそなと。［元太 上総］双方《さうはう》一チ同《ど》に身拵《ごしら》へ。互におとらぬ腕先刃《うでさきは》先キ。家に馴《なれ》たる真剣勝負《しんけんしやうぶ》。付ケ入〳〵。三重［二人］上 〽挑《いどみ》しが。［上総］地色ウ 大蔵が運《うん》の尽《つき》筵《むしろ》につまづきたるむ所を。［元］ウ 切ふせ〳〵とゞめをさしもの大蔵が手足を悶《もがき》死たるは。心地よくこそ見へにけれ。

［春］地ウ 主を討せ数多《あまた》の家来。遁《のが》さじやらじと追ッ取リ巻ク。［元］詞 シヤしほらしきうんざいめらと。地ウ 刀打ふりかけ向へ

ば。コハ叶はじと奥をさして逃ヶ入ルを。いつく迄もと与五郎は跡をしたふて　〽追て行。一心ン尖《するど》き鋒《きつさき》に。
多《お丶》くの家来を鏖《みなごろし》。しすましたりと与五郎は。腰に付ヶたる（86ウ）妹が首。切口哺《すゝ》て咽潤《のどうるほ》し息《いき》を休《やすむ》る其
所に。内膳は走リ出。躮が敵遁《のが》さぬと鉄砲《てつぽう》指向《さしむけ》身構《がま》へたり。飛道具には叶はじと畳《たゝみ》を小楯《こだて》にあしらふ内。
高塀越《たかへいごし》に轟が。ざんぶとかけたる手桶《ておけ》の水。なむ三方と鉄砲《てつぽう》投ヶ捨。奥をさして逃ヶ込ム所。どつこいさせ
ぬとかけふさがる。内膳も抜キ合せ受ヶつ流シつ。既《すで》に危《あやう》く見へたる折柄。
幸崎巌流かけ来り。出かした〳〵。轟殿よりしらせによつて。大殿是へ御入来《じゆらい》と呼はる中チ。民部ノ大夫靱
負ノ介。百太郎を御供にて追ィ々に馳着《はせつき》給ひ。悪人ンながら血筋の兄。命は民部が預ると。の給ふ所へ和田
右衛門。駒笛姫を伴《ともな》ひて。月本が後家老母。仁五八も諸共にいさみにいさむ（87オ）悦びに。ふたゝび
元トの御夫婦中。家も目出たく世継《よつぎ》の綸旨《りんし》。国入嫁入はなやかに。綺羅《きら》を飾《かざ》つて御供に。月本幸崎轟《さゝきとゞろき》と。
鼎《かなへ》のごとくおさまる国。五穀《こくふ》豊饒《によう》民安全《たみあんせん》。百億《ひやくおく》万歳末かけてゆるがぬ。御代こそ久しけれ

延享三丙寅年　　　浅田一鳥
作者　但見弥四郎
霜月十七日　　　松屋来輔（87ウ）

右謳曲以通俗為要故文字有
正有俗且加文采節奏為
正本云爾
豊竹越前少掾
大坂心斎橋南四丁目西側
正本屋九左衛門板

解　題——花筏巌流島

◎底本　東京都立中央図書館加賀文庫（5773）
◎体裁　半紙本　一冊
◎表紙　原表紙
◎題簽　原題簽「月本鐙梅／幸崎鬼移　花筏巌流島　豊竹越前少掾直伝／正本屋九左衛門版」
◎行・丁数　七行・八七丁（実丁）
◎丁付　花壱～花八十六、八十七納（ノド）
◎内題　月本鐙梅／幸崎鬼移　花筏巌流嶋
◎年記　延享三丙寅年霜月十七日
◎作者　浅田一鳥・但見弥四郎・松屋来輔（本文末）
◎奥書　有
◎板元　（大坂）正本屋九左衛門
◎番付　有
番付の外題表記「月本鐙梅《つきもとのやりむめ》／幸崎鬼移《さゝきのおにゆり》花筏巌流島《はないかだがんりうじま》」
◎絵尽　有
◎初演　延享三年十一月十七日　大坂豊竹座
『義太夫年表　近世篇』第一巻一七六頁参照

◎主要登場人物
大橋民部（豊前の国主）　朝山主計（豊後城主）
大橋靭負介（民部の嫡子）　おくら（定之進の妻）
船越内膳（民部の兄）　百太郎（定之進の子）
船越大蔵（内膳の嫡子）　与五郎（定之進家来）
轟和田右衛門（大橋家執権）　糸平（巌流草履取）
月本定之進（大橋家執権）　岩松（糸平の子）
幸崎巌流（船島丈右衛門）　喜代妻（岩松の実母）
駒笛（主計の妹・貞玉尼）　お徳（丈右衛門の妻）
定之進母（靭負介乳母）　仁五八（お巻の父）
千吉（丈右衛門とお徳の養子・定之進とおくらの実子）
お巻（千吉の妻・与五郎の妹）

◎梗概
[上之巻]
（祇園の社）13頁2行目～22頁8行目
豊前の国宇佐の宮に奉幣使の勅命をうけた松木中納言冬満の下向の供をするため、豊前の国主大橋民部、子靭負介、執権轟和田右衛門、豊後の城主朝山主計が祇園の社に参集した。船越内膳も子の大蔵と末座に並ぶ。

民部は子靱負介に家督を譲るよう定めた将軍の綸旨を受けた。靱負介と主計の妹駒笛の婚礼も決まり、豊前豊後の仲が万全になると喜ぶが、大橋家の嫡男でありながら親の遺言により家督を継ぐことができなかった内膳は不満をあらわす。一同が解散すると駒笛が現れ、主計に靱負介との婚約破棄を願い出て泣く。主計は靭負介の面目を慮り、駒笛の髪を切って尼にして勘当する。

そこへ内膳が大蔵と戻り、世継の綸旨を奪って大橋の家国を手に入れる計略を明かす。既に内膳は、大橋家の執権月岡定之進と家老幸崎巌流に綸旨を持ってくるよう命じていた。到着した二人に内膳は謀反の計略を打ち明け、自分に味方するか判断するよう迫る。定之進と巌流は返事に詰まり、三日後に返事をすると約束してその場を逃れる。

（島原花菱屋）22頁9行目～37頁10行目

島原花菱屋の座敷では、靱負介が大丸屋の花浦を身請しにきたと大賑わいである。手付金五十両を手に出てきた大丸屋才左衛門は、内膳の家来段介に斬殺される。段介は人に見られているのに気づかず、死体と金を隠してその場を去る。

そこへ靭負介がやって来て、花浦と釣狐の趣向に興じる。そこに尼貞玉となった駒笛が呼ばれて入ってくる。靭負介と花浦は、靱負介の頼みをきいて兄の主計に婚約破棄を願い出てくれた駒笛への感謝を伝えるが、駒笛はまだ靭負介への想いを断ち切れず、二人に別れるよう迫って懐剣で追い詰める。そこへ靭負介の乳母が現れて駒笛を止め、この場は一旦引いて自分に任せるよう伝える。

そこへ民部、和田右衛門、内膳、大蔵が入ってくる。内膳は、駒笛が縁談を断り尼にさせられたのが靭負介のせいだったことが明らかになれば豊後との関係は悪化し、お家断絶の危機になると騒ぎ立てる。民部は靭負介の髪を切り落として勘当し、その髪を主計に届けて謝罪するよう和田右衛門に命じる。

内膳が役人に靭負介を追い出させようとすると、和田右衛門は押しとどめ、餞別にと、衝立の襖をめくって中の五十両を靱負介に渡し、近づいた段介を盗賊だと成敗する。大蔵は家来を突然殺されたことに抗議するが証拠をつきつけられて退く。靭負介は追放され、花浦は親方のところへ戻された。

駒笛に懸想している大蔵は、駒笛は自分が預かると主張するが、民部は駒笛は乳母がかくまい、内膳親子は靱負介の髪を届ける和田右衛門に同行せよ、と命ずる。主命に逆らえない内膳らは出ていった。

民部は乳母と駒笛を引き留め、家次の刀を預ける。もし靭負介が改心したらその刀を与えて駒笛と夫婦にし、勘当を解いて家を継がせる心であることを伝える。乳母は、いつか必ず改心した靭負介に刀を渡して立派な大名にすることを誓う。

（鳥羽の畷）38頁1行目～47頁1行

内膳と大蔵は、民部を夜討ちしようと家来を連れて鳥羽の畷にやってきた。先に巌流と定之進の回答を聞き、二人が歯向かう場合は殺そうと一本道で待ち伏せする。

鳥羽の畷で巌流と会った定之進は、内膳への回答をどうするつもりか問う。巌流は内膳の正当性を、定之進は民部の正当性を主張し、二人の意見は分かれる。巌流は内膳の反意を注進に向かおうとする定之進を討ち、世継ぎの綸旨を取りあげて内膳に献上しようと駆け出す。隠れて様子をみていた内膳大蔵は巌流を呼び止め綸旨を受け取り、直ちに民部の旅宿へ夜討ちをかけようと勇む。巌流は、直接手を下すより毒殺した方が良いと押しとどめ、血判で悪事に加担する誓いを立てる。そこに定之進の迎えがやってきた。手下を残して内膳大蔵は巌流と共にその場を去る。

やってきた定之進家来与五郎は襲い掛かってきた大勢の黒装束を切り倒すが、つまずいた死骸が主人であることに気づいて驚き涙にくれる。必ず敵を見つけて主人の無念を晴らすことを心に誓い、豊前に帰っていく。

［中之巻］

（豊前の国月本定之進の館）47頁3行～61頁4行

定之進が国主の供で留守にしている間、豊前の館には主人不在の見舞いに方々から贈り物が届き、賑わっている。定之進の子で十二歳の百太郎は、立派な父親のようになりたいと毎日八幡様の馬場先で武芸鍛錬をしている。その日も勇んで鍛錬に出発した。

百太郎を見送った定之進の老母は、なかなか帰国しない息子を心配しつつ、船宿まで様子を見に行った嫁のおくらが帰るまで寝て待つことにする。そこへ夜の暗闇に乗じて黒装束の曲者が塀を越えて小庭に忍び入った。その後に別の大男が侵入し、起きてきた老母に、これから盗賊頭が盗みにやってくると伝える。老母は、騒ぐ家人をなだめ、長刀を用意して奥で待つ。やってきた盗賊頭は、老母の養い君の靭負介であった。乳母が再会を喜びつつ、なぜ盗賊になったのかと不審がると、靭負介はまだ本当の盗みをしたことはなく、先ほどの「手下」はたいこ持ちの忠六という男であることを明かす。花浦を身請けする残金の五百両がすぐ必要になったが、勘当の身で乳母に金を無心するわけにもいかず、「盗賊」として金を「奪う」ことを思いついたのだ。乳母は、まだ花浦のことを思いきれない靭負介にあきれて意見するが、身請けの金が手に入らなければ切腹すると言う靭負介に説得をあきらめ、金を用意すると約束して靭負介を奥で待たせる。そして家次の刀を手に部屋の畳を上げると中から駒笛が出てきた。駒笛は改心せず花浦を請け出そうとする靭負介の仕打ちを乳母とともに嘆き、自害しようと刀をとる。乳母は島原で民部から家次の刀を預かった時のことを思い返し、民部に合わせる顔がないから自分も共に死ぬと言って嘆く。

そこへ宵から忍び込んでいた曲者が近づき、姫を連れ去ろうとする。大蔵の家来の斑鳩藤太が、主命で駒笛を探しに来たのだ。そこへ靭負介があらわれ家次の刀で藤太を討ち、改心して家を継ぐと宣言する。乳母と駒笛の会話を聞いて心を改め二人に謝る靭負介に涙を流して喜ぶ二人。乳母は以前から用意してあった花浦身請けのための五百両を靭負介に渡し、これで誰憚ることなく祝言が挙げられると喜ぶ。靭負介は駒笛と晴れて夫婦となり館の主人に返り咲いた。

（宇佐八幡馬場）61頁5行～70頁8行

宇佐八幡の馬場では、様々な身分の者が馬の稽古をして賑わっている。月本定之進の息子百太郎は、馬借鞭助を供に馬場先へ向かう。後から奴の糸平が、百太郎と同い年くらいの子岩松を連れてやってくる。何とか馬代を作ったから今夜は馬場で稽古ができると伝えられた岩松は喜び、武芸を極めて立派な侍になりたいと言う。そこに糸平の顔見知りの傾城喜代妻が通りかかる。実は喜代妻は岩松の実母で、岩松はわけあって糸平が預かり育てているのだが、岩松はこのことを知らない。糸平は岩松が出世できるよう宇佐八幡に百日参りをしており、喜代妻もいつか岩松と一緒になれることを祈って八幡に毎日はだし参りをしていた。馬に乗りたくて仕方がない岩松に急かされ、糸平は馬借にお金を払って岩松を見送る。

馬場先では、百太郎と岩松が互いに引かない互角の馬駆けをしている。二人の勝負がつかないことを見た馬借が、かけ的で勝負をしたらどうかと弓矢と的を用意する。二人が馬上から矢を射ると、矢は的を打ち抜いて遠くまで飛んでいった。勝負なしと二人が立ち去ろうとしたところに大橋家の若侍熊川瀬平が矢を手にやってきて、射手は誰かと問いただす。百太郎と岩松が名乗り出ると、瀬平は二人を捕らえて連れて行った。

（宇佐八幡書院）70頁9行～91頁8行目

百太郎と岩松は宇佐八幡の書院で大橋家の重鎮和田右衛門と巌流の前に引き立てられ、どちらかが死罪になると告げられて覚悟する。そこへ定之進の妻おくらが家来与五郎を連れてかけつけた。おくらは定之進が何者かに鳥羽畷で殺されたと明かし、殿から許しを得て百太郎とともに敵討ちに旅立ちたいと訴えるが、和田右衛門は百太郎の罪について説明をする。奉幣使として下向した松木中納言の冠に、百太郎と岩松がかけ的に放った矢が当たったのだ。勅使への不敬は大罪であり、家臣の罪は殿の罪と、場合によってはお家断絶になる可能性もある。それを避けるために射手の死罪が命ぜられたのだ。ただし、冠に当たった矢は一本であったため、死罪になるのは一人だけである。富くじのように二人の名前を記した札を箱に入れ、当たった者が死罪、もう一人は無罪となると説明する和田右衛門。おくらと与五郎に結果が出るまで待つようにと告げ、子供を引き立てて中に入る。

何とか百太郎を救おうと、おくらは富くじの場に忍び込んで様子を伺う。与五郎も建物の外から機会を待つが、そこへ糸平がやってきて、互いの身内を救おうともみ合いになる。そこへおくらがあらわれ、岩松が死罪になるというくじの結果を報告して大喜びし、糸平は嘆き悲しむ。ほどなく瀬平が岩松の死骸と百太郎と共に現れ、百太郎には敵討ちの許可が出た事、岩松の死骸は家族に返す旨を告げる。おくらと百太郎は勇んで敵討ちの旅に出る。

糸平が嘆いていると喜代妻が現れ、息子の死に間に合わなかったことを嘆き悲しむ。岩松は巌流と喜代妻の子供で、傾城の子供はご法度であったために糸平の子として育てられたのだ。主人の子を死なせてしまった責任から糸平が腹を切ったところへ巌流があらわれ、岩松の死は糸平の責任ではないと言う。実は巌流は、百太郎を助けるために和田右衛門に頼んで箱に細工をし、岩松が死ぬよう仕向けたのだ。内膳に逆心を明かされた時、定之進と巌流は相談の上、偽の綸旨を用意して時間稼ぎをし、内膳らを油断させて捕えるという計画を立てた。綸旨が本物だと思い込ませるため、定之進と巌流のいずれかが裏切者のふりをして他方を殺して綸旨を奪うことにしたが、死ぬ役を互いに譲らず、くじによって定之進が死ぬことになった。巌流は計画通り鳥羽畷で定之進を討ち、偽の綸旨で内膳親子を騙して事を収め、帰国して本物の綸旨を殿に届けようとしていたところ、岩松と百太郎の評定の場に呼ばれた。もし百太郎が死ねば忠臣月本のお家は断絶し、百太郎は父の敵を討つことができない。そこで百太郎を救うためにわが子岩松を犠牲にしたのだ。喜代妻と糸平は、岩松が巌流の役に立って死んだことを喜びその死を悼んで泣く。巌流は浪人になって百太郎に討たれる覚悟で、自らの追放を殿に願い出ていた。和田右衛門があらわれ、その巌流の願いが聞き入れられたことを告げる。ただし、巌流も大事な忠臣であることから、追放は百日に限り、もし百日間生き残れば国に戻って尽くすようにとの仰せである。巌流は感謝し、瀕死の糸平に頼まれてとどめをさした後、百太郎とおくらに討たれるために旅立つ。

[下之巻]

（道行千種結）92頁2行目～95頁6行目

目の見えない千吉とお巻が心中の道行をしている。死ねば夫婦になれず親にも不孝だと、死なずに一緒になる希望をもちながら、お巻の伯父からもらったお金を持ってとにかく追手から逃れていたが、雨が降ってきたので木陰で雨宿りをする。

（船島海岸沿いの小松原）95頁7行目～98頁3行目

そこへ千吉の三味線の兄弟子の嗅市が現れ、手探りで千吉を縛って捕まえる。嗅市は庄屋の娘のお巻に惚れており、駆け落ちが発覚した時真っ先に追手に加わったのだ。自分と一緒になれば千吉を見逃すと迫る嗅市に、承諾するふりをして金を投げつけるお巻。盲目の嗅市が手探りで金を探すどさくさに紛れて二人は逃れる。

（長門船島）98頁4行目～118頁9行目

離れ島である船島の簡素な家には、夫船島丈衛門が長期不在の中、妻お徳と息子千吉が住んでいる。お徳は鞠岡村の庄屋の娘お巻とかけおちをした千吉を連れ戻し、謹慎させていた。盲目の千吉がお名家の娘お巻と一緒になることはできないと考え、千吉に諦めるよう説き、千吉もその決意を固める。そこへ鞠岡村庄屋仁五八がお巻を連れて訪れ、お巻を千吉と夫婦にしたいと言う。許婚とはすでに縁を切り、千吉との結婚の障害はなくなったのだ。お徳も千吉も喜び、急いで祝言をあげる。
仁五八が鞠岡村に戻った後、お徳はお巻を奥の部屋に休ませる。そこへ夫の丈衛門が浪人姿で帰ってきた。久しぶりの帰還を喜ぶ妻子との再会を果たした後、丈右衛門はお徳に話があると言い、千吉を残して二人で奥へと入っていく。

そこへおくらと百太郎がやってきた。実は千吉はおくらと定之進との間の第一子で、二人が未婚の時に生まれたため、おくらの姉お徳とその夫丈右衛門の養子となっていた。おくらは、千吉の実父定之進を討った敵の正体が巌流だと分かったと知らせる。丈右衛門がちょうど帰ってきたと聞いたおくらは、丈右衛門夫婦に挨拶がしたいから呼ぶように千吉に頼み、百太郎の手を引いて別室で待つ。

残された千吉の元にお徳があらわれ、いきなり勘当だと告げるが、取り乱して嘆く千吉を見て慌てて勘当を取り消す。千吉に三味線を弾かせ、歌の内容に重ねて自らの悲しい運命を嘆く。その後千吉に襦袢を渡し、そこにある大切な歌の文句を伯母に読んでもらうようにと伝えて去り、自害をするためにひっそりと小舟で海に出ていく。

そうとは知らず千吉は、ちょうどやってきたお巻に襦袢を見せ、母に習えと言われた歌の文句を読んでほしいと頼む。襦袢には、丈右衛門の正体が千吉の実父定之進を討った巌流であること、それゆえ親子の縁を切って定之進おくらの子に戻り、実父の敵巌流を討ってほしいという遺言が書かれていた。千吉は、母の死ぬ覚悟に気づき、母は奥にいるはずだと駆けて行く。お巻も跡に続く。おくら親子はそれを立ち聞きしていたのだが、そこへ丈右衛門が現れて切り合いとなる。そこに胸に出刃包丁を刺した千吉が現れて勝負を止める。養父と実母実弟が討ち合う様子に心を痛め、自分の命と引き換えに勝負をやめてほしいと頼む。そこで巌流は刀を捨てて嘆き、本心を明かす。殿から赦された百日の追放の期間におくら百太郎に討たれるつもりだったが、討たれないまま百日がすぎようとしている。そこで船島に戻って養子千吉との縁を切り、実父の敵である自分を討たせようと考えたのだ。それが裏目に出て千吉を死なせる結果になってしまったと、巌流は嘆き悲しむ。一方おくら百太郎も、既に定之進の母から真実を聞いていた。真の敵の内膳親子を倒すためには忠臣巌流の力が必要だと考え、自分たちは巌流に討たれるつもりでいた。巌流はそれでも敵討ちは果たさなければならないと、自らを討つように勧める。そこで千吉が、自分が二代目巌流になって討たれると申し出、瀕死の千吉改め巌流におくら親子が泣く泣くとどめをさした。そこへ奥から縄に縛られたお巻が出てきた。縄がほどかれるとすぐに夫に駆け寄り自害しようとしたが、それを巌流は止め、内膳の館に潜入して兄与五郎と共に内膳討伐に協力するよう説得する。そこへ巌流に偽の綸旨をつかまされていたことに気づいた船越大蔵が攻めてくるが、巌流の活躍で多くの手下を討たれて逃げていく。

（船越内膳下屋敷）118頁10行目～130頁10行目

船越内膳下屋敷では、主を迎えるために、下部たちが掃除の最中だ。大蔵は前日に到着し、お気に入りの新参者お巻を侍らせている。そこへ隣屋敷の轟和田右衛門に仕える与五郎が、内膳へ樽酒を献上しにくる。お巻は周りに人のいないすきに、内膳親子を討つ覚悟について兄与五郎と密談するが、その一部を大蔵に聞かれ、与五郎との不義と誤解される。大蔵はお巻を脅して与五郎への手紙を書かせ、小石を包んで隣屋敷に投げ文をして与五郎を罠にかけようとする。そこへ内膳が到着したため、大蔵は縛ったお巻に猿轡をして引っ立てていく。与五郎は投げ文の不自然な内容から、先ほどの密談を聞かれたことに気づき、当たり障りのない返事に小石を包んで投げ返す。ほどなく大蔵の家来が与五郎を捕えにやってくる。お巻と不義を働いて投げ文をやり取りし、包まれた石で大蔵が眉間を怪我したと与五郎をののしるが、和田右衛門は、後ほど与五郎を詫びに寄越すと言って追い返す。

和田右衛門は内膳らを討伐するよう与五郎を鼓舞し、餞別の小脇差を与えて送り出す。大蔵は与五郎の刀を没収して不義の罪で手打ちにしようとするが、与五郎は不義を認めず抵抗する。丸腰で手討ちにあっては武士の魂に反すると主張する与五郎を、大蔵は気に入ったと酒でもてなし、酒の肴だと言って与五郎の目の前でお巻の胸を刺す。苦しむお巻を見て喜び、女房を殺されるのはさぞ無念だろうと言う大蔵。与五郎は平静を装って大蔵に命ぜられるままに妹の首を落とす。なお与五郎を疑いだまし討ちにしようとする大蔵に、とうとう与五郎は自分の正体を明かし、切り伏せとどめをさす。与五郎は鉄砲を持って出てきた内膳に一時危機に陥るが、和田右衛門が隣屋敷から塀越しに加勢し危機を脱する。逃げようとした内膳を引き留め切り合っているところへ巌流があらわれる。続いて民部が靭負介と百太郎を供に現れ、兄内膳の悪事の処分は自らがすると宣言した。和田右衛門、駒笛、定之進妻老母、仁五八も勢ぞろいし、月本幸崎轟の働きにより、無事世継ぎが定まり駒笛との縁談もととのい大橋家が安泰であることを喜んだ。

◎補記

・39頁10行目「霙《みぞれ》」。原本（20オ）のふりがなの一字目が「こ」に見える。書き損じと判断し「み」で翻刻した。

・44頁10行目「竪横無《じうわうむ》尽《じん》」の一字目。原本（24オ）の字は「堅」に見えるが、書き損ねと判断し「竪」で翻刻した。

・101頁2行目「お巻は指寄ﾘ」の「指」。原本（64ウ）の字は、偏は「身」で旁は「旨」に見えるが、大漢和不立項。「指」で翻刻した。

・118頁5行目「咽喉《のどぶへ》」の二字目。原本（77ウ）の字は、偏は「月」で旁は「候」に見えるが、大漢和不立項。口へんで翻刻した。

（高井詩穂）

義太夫節人形浄瑠璃上演年表（一七一六―一七六四）

一、この年表は、享保期から明和元年にかけて初演された義太夫節人形浄瑠璃作品について、上演年月と翻刻状況を中心に示したものである。

一、上演年月と外題は主に『義太夫年表　近世篇』八木書店に拠り、神津武男『浄瑠璃本史研究』八木書店を参照した。

一、同一の興行外題による再演（推定を含む）は、その正本の現存が『義太夫年表　近世篇』等で確認されているものを掲出した。

一、年表の座（所演）欄の略号は以下の通り。備考欄の「＊」は所演に係る注記事項。

豊：大坂豊竹座
竹：大坂竹本座
出：大坂伊藤出羽掾座
明：大坂明石越後掾座
陸：大坂陸竹小和泉座
北：大坂北本和泉座
宇：京宇治座
扇：京扇谷豊前掾座
外：江戸外記座
辰：江戸辰松座
肥：江戸肥前座
土：江戸土佐座
喜：竹本喜世太夫座
未：所演座未詳

一、翻刻欄には、第二次世界大戦後、『義太夫節浄瑠璃未翻刻作品集成』以前に刊行された翻刻書（原則として私家版および紀要等の雑誌に掲載されたものは除く）の有無について、以下の記号で示した。

▼：未翻刻
▲：未翻刻（戦前に翻刻あり）
▽：改題本または再演本で未翻刻（原作は翻刻あり）
×：正本の現存不明

一、翻刻欄または備考欄に記した翻刻書等の略号は以下の通り（丸文字は収録巻）。翻刻書が複数ある場合、近松門左衛門作品は『近松全集』岩波書店を、それ以外は最新刊を掲げた。なお、翻刻の会については、『同志社国文学』同志社大学国文学会に掲載された翻刻の一覧を年表末に付記することとした。

一風：『西沢一風全集』汲古書院、二〇〇二～二〇〇五年
海音：『紀海音全集』清文堂出版、一九七七～一九八〇年
加賀：『古浄瑠璃正本集　加賀掾編』大学堂書店、一九八九～一九九三年
義浄：『竹本義太夫浄瑠璃正本集』大学堂書店、一九九五年
旧全：『日本古典文学全集』小学館、一九七〇～一九七六年
旧大：『日本古典文学大系』岩波書店、一九五七～一九六七年
浄翻：『浄瑠璃正本翻刻集』国立劇場、一九八八年～
真宗：『大系真宗史料　伝記編4　真宗浄瑠璃』法藏館、二〇〇九年
新全：『新編日本古典文学全集』小学館、一九九四～二〇〇二年
新大：『新日本古典文学大系』岩波書店、一九八九～二〇〇五年
叢書：『叢書江戸文庫』国書刊行会、一九八七～二〇〇二年
近松：『近松全集』岩波書店、一九八五～一九九四年
半二：『日本古典全書　近松半二集』朝日新聞社、一九四九年
文流：『錦文流全集』古典文庫、一九八八～一九九一年
未戯：『未翻刻戯曲集』国立劇場、一九六七年～
近世篇：『義太夫年表　近世篇』八木書店、一九七九～一九九〇年
未翻刻：『義太夫節浄瑠璃未翻刻作品集成』玉川大学出版部、二〇〇六年～

年	月	座	外題	翻刻	備考
享保1	1	豊	八幡太郎東初梅	海音⑥	
	1頃	豊	鎌倉三代記	海音④	
	夏頃	豊	新板兵庫築島	海音④	
2	春	豊	傾城国性爺	海音③	
	2	竹	国性爺後日合戦	近松⑩	
	8	竹	鑓の権三重帷子	近松⑩	
	9	豊	照日前都姿	×	
	10.以前	豊	八百屋お七	海音③	
	10	喜	八百屋お七恋緋桜	▼	＊江戸
	11	竹	聖徳太子絵伝記	近松⑩	
3	1	竹	山崎与次兵衛寿の門松	近松⑩	
	2	竹	日本振袖始	近松⑩	
	3	喜	八百屋お七恋緋桜付リ後日	▼	＊江戸
	7	竹	曽我会稽山	近松⑩	
	8	豊	傾城吉原雀	×	
	10	竹	日蓮上人記	×	
	10	竹	傾城酒呑童子	近松⑩	
	11以前	豊	山椒太夫葭原雀	海音④	
	11	豊	今様賢女手習鑑	×	
	11	竹	博多小女郎波枕	近松⑩	
	12	竹	善光寺御堂供養	近松⑭	
4	1	豊	義経新高館	海音④	
	2	竹	本朝三国志	近松⑪	
	5	豊	神功皇后三韓責	海音⑤	
	8	豊	頼光新跡目論	海音⑤	
	8	竹	平家女護島	近松⑪	
	8	辰	八百屋お七江戸紫	▼	
	10	豊	業平昔物語	▽	『河内通』加賀④の改題
	11	竹	傾城島原蛙合戦	近松⑪	
	この年	豊	笠屋三勝二十五年忌	×	『二十五年忌』海音⑥の別本
	この年	喜	熊野権現烏午王	文流㊦	＊大坂曽根崎芝居
	この年	喜	竜宮東門阿波鳴戸	×	＊大坂曽根崎芝居
5	1	豊	鎮西八郎唐土船	海音⑤	
	3	竹	井筒業平河内通	近松⑪	
	8	竹	双生隅田川	近松⑪	

年	月	座	外題	収録	備考
	9	豊	日本傾城始	海音⑤	
	11	竹	日本武尊吾妻鑑	近松⑪	
	12	竹	心中天の網島	近松⑪	
	この年	竹	河内国姥火	▲	未翻刻二⑬
6	1	豊	三輪丹前能	海音⑤	
	2	竹	津国女夫池	近松⑫	
	5	豊	伏見常盤昔物語	×	
	7	竹	女殺油地獄	近松⑫	
	閏7	豊	呉越軍談	海音⑥	
	8	竹	信州川中島合戦	近松⑫	
	10	豊	富仁親王嵯峨錦	海音⑥	
7	1	竹	唐船噺今国性爺	近松⑫	
	1	豊	大友皇子玉座靴	海音⑥	
	1	辰	重井筒難波染	▽	『心中重井筒』近松⑤の改題 近世篇〈補訂篇〉参照
	3	竹	浦島年代記	近松⑫	
	4	豊	心中二ツ腹帯	海音⑥	
	4	竹	心中宵庚申	近松⑫	
	6	辰	心中二つ腹帯	▽	『心中二ツ腹帯』海音⑥の改題

年	月	座	外題	収録	備考
	9	竹	仏御前扇車	近松⑭	
	11	豊	東山殿室町合戦	海音⑦	
	顔見世	豊	坂上田村麿	海音⑥	近世篇参照
8	1	豊	玄宗皇帝蓬莱鶴	海音⑦	
	1	未	花毛氈二つ腹帯	×	*江戸『心中二ツ腹帯』海音⑥の改題
	2	竹	大塔宮曦鎧	近松⑭	
	5	豊	記録曽我玉笄髷	▼	未翻刻二⑭
	7	豊	井筒屋源六恋寒晒	一風④	
	7	豊	傾城無間鐘	海音⑦	
	11	豊	建仁寺供養	一風④	
	11	竹	桜町昔名花	×	
9	1	竹	関八州繋馬	近松⑫	
	2	豊	頼政追善芝	一風④	
	7	竹	諸葛孔明鼎軍談	叢書⑨	
	10	豊	女蝉丸	一風⑤	
	11	竹	右大将鎌倉実記	▲	未翻刻一⑪
10	1	豊	昔米万石通	一風⑤	
	3	豊	南北軍問答	一風⑤	
	5	豊	身替弖張月	一風⑤	

	5	竹	出世握虎稚物語	▲	未翻刻一①
	6	竹	復鳥羽恋塚	▽	『一心五戒魂』義浄㊤の改題
	9	竹	大内裏大友真鳥	叢書⑨	
	10	豊	大仏殿万代石楚	一風⑤	
11	2	豊	曽我錦几帳	▼	未翻刻二⑮
	4	豊	北条時頼記	一風⑥	
	9	竹	伊勢平氏年々鑑	▲	未翻刻一④
12	1以前	外	頼政追善芝	▽	『頼政追善芝』一風④の江戸上演
	1	竹	敵討御未刻太鼓	▲	未翻刻二⑯
	2	豊	清和源氏十五段	▼	未翻刻一⑥
	4	竹	七小町	叢書⑨	
	8	竹	三荘太夫五人嬢	叢書⑨	
	8	豊	摂津国長柄人柱	叢書⑩	
13	2	豊	尊氏将軍二代鑑	▼	未翻刻一⑤
	3	竹	工藤左衛門富士日記	▲	未翻刻一③
	5	豊	南都十三鐘	▼	未翻刻二⑰
	5	竹	加賀国篠原合戦	叢書⑨	
	この頃	豊	頼政扇の芝	▽	『頼政追善芝』一風④の改題
14	1	豊	後三年奥州軍記	叢書⑩	
	2	竹	尼御台由比浜出	▼	未翻刻三㉓
	6	竹	新板大塔宮	×	『大塔宮曦鎧』近松⑭の改題
	8	竹	眉間尺象貢	▲	未翻刻五㊸
	9	豊	藤原秀郷俵系図	▼	未翻刻一②
	11	竹	京土産名所井筒	▼	未翻刻一⑦
15	1	豊	蒲冠者藤戸合戦	▼	未翻刻三㉔
	2以前	竹	梅屋渋浮名色揚	▼	未翻刻二⑱
	2	竹	三浦大助紅梅靮	叢書㊳	
	5	豊	本朝檀特山	▲	未翻刻三㉕
	8	竹	信州姨拾山	▲	未翻刻一⑧
	8	豊	楠正成軍法実録	▼	未翻刻二⑲
	11	竹	須磨都源平躑躅	▲	未翻刻一⑩
16	1	豊	源家七代集	▼	未翻刻二⑳
	4	豊	和泉国浮名溜池	▼	未翻刻二㉑
	6	豊	酒呑童子枕言葉	×	『酒呑童子枕言葉』近松⑥の豊竹座上演
	9	竹	鬼一法眼三略巻	▲	未翻刻一⑨

年	月	座	外題	印	備考
	9以前	豊	殺生石	海音④	
	9以前	豊	忠臣青砥刀	海音⑦	
	9以前	豊	本朝五翠殿	海音④	
	9以前	豊	浄瑠璃古今序	海音④	
	9以前	豊	金平法問諍 忠臣身替物語	▽	『今様かしは木忠臣身替物語』義浄㊤の改題
	10	豊	赤沢山伊東伝記	▼	未翻刻一⑫
17	4	豊	八百屋お七恋緋桜	▽	『八百屋お七』海音③の改題
	4	竹	増補用明天王	▼	未翻刻七(72)
	5	豊	今様傾城反魂香	▼	未翻刻八(73)
	6	竹	伊達染手綱	▽	『丹波与作待夜のこむろぶし』近松⑤の改題
	9	竹	壇浦兜軍記	旧全㊺	
	9	豊	待賢門夜軍	▼	未翻刻四㉝
	10	豊	忠臣金短冊	叢書⑩	
	12	出	前内裏島王城遷	▼	未翻刻七(63)
18	2	豊	お初天神記	▽	『曽根崎心中十三年忌』海音⑦の改題
	4	竹	車還合戦桜	▲	未翻刻三㉖
	4	豊	鎌倉比事青砥銭	▲	未翻刻二㉒

年	月	座	外題	印	備考
	6	竹	景事揃	×	
	7	竹	重井筒容鏡	▽	『心中重井筒』近松⑤の改題
	7	豊	莠伶人吾妻雛形	▼	未翻刻五㊹
19	2	竹	応神天皇八白幡	叢書㊳	
	5以前	辰	伊勢平氏年々鑑	▽	『伊勢平氏年々鑑』未翻刻④の江戸上演
	5以前	辰	傾情山姥都歳玉	▼	未翻刻六(53)
	5以前	辰	西行法師墨染桜	▽	『西行法師墨染桜』文流㊤の江戸上演
	6	豊	曽我昔見台	▼	未翻刻三㉗
	8	豊	那須与一西海硯	叢書⑪	
	10以前	未	契情我立杣	▼	＊江戸 未翻刻八(74)
	10	竹	芦屋道満大内鑑	新大(93)	
20	1	竹	元日金歳越	▲	未翻刻三㉘
	2	豊	南蛮鉄後藤目貫	×	写本（八種）が伝存 叢書⑪底本は演博本『南蛮銅後藤目貫』
	5	豊	万屋助六二代䙁	▲	未翻刻三㉙
	8	豊	苅萱桑門築紫𨏍	▲	未翻刻四㉞

年	月	座	外題	記号	備考
	9	竹	甲賀三郎窟物語	叢書㊳	
元文1	2	竹	赤松円心緑陣幕	▼	未翻刻五㊺
	2	竹	天神記冥加の松	×	
	3	豊	和田合戦女舞鶴	叢書⑪	
	5	竹	十二段長生島台	×	
	5	竹	敵討襤褸錦	▲	未翻刻六(54)
	10	竹	猿丸太夫鹿巻毫	叢書㊳	
	この頃	未	今様東二色	▼	＊江戸 未翻刻四㉟
2	1	豊	安倍宗任松浦箞	▲	未翻刻五㊻
	1	竹	御所桜堀川夜討	叢書㊳	
	1	竹	菅丞相冥加松梅	×	『浄瑠璃本史研究』参照
	7	豊	釜渕双級巴	▲	未翻刻四㊱
	10	竹	太政入道兵庫岬	▼	未翻刻五㊼
3	1	竹	行平磯馴松	叢書㊳	
	4	豊	丹生山田青海剣	▲	未翻刻四㊲
	8	竹	小栗判官車街道	叢書㊵	
	10	豊	茜染野中の隠井	▲	未翻刻六(56)
4	2	豊	奥州秀衡有鬠壻	未戯③	
	4	竹	ひらかな盛衰記	旧大(51)	未翻刻八(75)

年	月	座	外題	記号	備考
	8	豊	狭夜衣鴛鴦剣翅	新大(93)	
5	2	豊	鶊山姫舎松	叢書⑪	
	4	豊	本田義光日本鑑	▲	未翻刻五㊽
	4	竹	今川本領猫魔館	▲	未翻刻八(76)
	7	竹	将門冠合戦	▲	未翻刻七(64)
	9	豊	武烈天皇艤	▲	
	11	竹	追善百日曽我	×	
	11	竹	恋八卦柱暦	▽	『大経師昔暦』近松⑨の改題（戦前に翻刻）
寛保1	1	竹	伊豆院宣源氏鏡	▲	未翻刻七(65)
	3	豊	本朝斑女箋	▼	
	5	竹	新うすゆき物語	新大(93)	
	5	豊	青梅撰食盛	▼	未翻刻八(82)
	7	豊	播州皿屋舗	叢書⑪	
	9	豊	田村麿鈴鹿合戦	▼	未翻刻四㊳
2	2	竹	花衣いろは縁起	▼	未翻刻四㊴
	3	豊	百合稚高麗軍記	▼	未翻刻四㊵
	3	肥	石橋山鎧襲	▼	未翻刻四㊶
	4	竹	室町千畳敷	▽	『津国女夫池』近松⑫の改題（戦前に翻刻）

	7	竹	男作五雁金	叢書㊵	
	8	豊	道成寺現在蛇鱗	叢書㊲	
	9	豊	鎌倉大系図	▼	未翻刻五㊾
3	3	豊	風俗太平記	▼	
	4	竹	入鹿大臣皇都諍	▼	未翻刻六(56)
	5	竹	丹州爺打栗	▼	未翻刻三㉚
	8	豊	久米仙人吉野桜	叢書㊲	
延享1	3	竹	児源氏道中軍記	▼	未翻刻六(57)
	3	肥	義経新含状	▲	未翻刻八(77) 改題本『後藤伊達目貫』が戦前に翻刻
	4	豊	潤色江戸紫	▲	
	9	豊	柿本紀僧正旭車	▼	未翻刻七(66)
	11	竹	ひらかな盛衰記	▽	近世篇参照
	11	竹	八曲筐掛絵	▼	未翻刻七(72)
	12	豊	遊君衣紋鑑	▼	未翻刻六(58)
2	1	明	三軍桔梗原	▼	
	2	竹	軍法富士見西行	叢書㊵	
	2	豊	詩近江八景	▼	未翻刻八(78)
	3	未	萬葉女阿漕	×	写本（一種）が伝存 未翻刻七(67)

	4	明	延喜帝秘曲琵琶	▼	
	5	豊	増補大仏殿献礎	▼	未翻刻六(59)
	7	竹	夏祭浪花鑑	旧大(51)	
	8	豊	浦島太郎倭物語	▼	未翻刻八(79)
	閏12	陸	唐金茂衛門東鬘	▼	
3	1	竹	楠昔噺	叢書㊵	
	5	竹	追善仏御前	×	『仏御前扇車』近松⑭の改題
	5	竹	追善重井筒	▽	『心中重井筒』近松⑤の改題
	5	豊	酒呑童子出生記	▼	未翻刻五㊿
	7以前	竹	博田小女郎思枕	▽	『博多小女郎波枕』近松⑩の改題
	8	陸	歌枕棣棠花合戦	▼	未翻刻七(68)
	8	竹	菅原伝授手習鑑	旧全㊼	
	10	陸	女舞剣紅楓	▼	未翻刻六(60)
	11	豊	**花筏巌流島**	▼	未翻刻八(80)
4	2	豊	裙重紅梅服	▼	
	2	陸	鎮西八郎射往来	▼	
	2以降	陸	氷室地大内軍記	×	
	3	豊	万戸将軍唐日記	▼	

	7	豊	悪源太平治合戦	▼	
	8	竹	傾城枕軍談	▼	未翻刻三㉛
	10	肥	いろは日蓮記	▼	未翻刻四㊷
	11	竹	義経千本桜	新大(93)	
寛延1	1	豊	容競出入湊	未戯⑫	
	7	豊	東鑑御狩巻	▼	未翻刻七(69)
	8	竹	仮名手本忠臣蔵	新全(77)	
	9	宇	住吉誕生石	▼	
	11	豊	摂州渡辺橋供養	叢書㊲	
2	3	豊	八重霞浪花浜荻	浄翻①	
	4	竹	粟島譜嫁入雛形	▼	未翻刻五(51)
	7	辰	粟島譜利生雛形	×	『粟島譜嫁入雛形』未翻刻(51)の改題
	7	豊	華和讃新羅源氏	真宗	
	7	豊	なには五節句操 大踊	×	
	7	竹	双蝶蝶曲輪日記	新全(77)	
	10	肥	日蓮記児硯	▽	『いろは日蓮記』未翻刻㊷の改題
	11	豊	物ぐさ太郎	▼	未翻刻五(52)
	11	竹	源平布引滝	旧大(52)	未翻刻八(81)
3	3	豊	手向八重桜	浄翻①	
	6	豊	夏楓連理枕	▼	
	8	肥	新板累物語	▼	未翻刻六(61)
	8頃	豊	傾城買指南	▼	未翻刻八(82)『浄瑠璃本史研究』参照
	11	竹	文武世継梅	▼	未翻刻六(62)
宝暦1	1	豊	玉藻前曦袂	▼	未翻刻七(70)
	2	竹	恋女房染分手綱	▼	未翻刻七(71)
	4	豊	浪花文章夕霧塚	▼	
	7	竹	仕合丸浪花入船	×	
	7	豊	頼政扇子芝	▽	『頼政追善芝』一風④の改題
	8	肥	八幡太郎東海硯	▼	
	10	豊	日蓮聖人御法海	未戯⑩	
	10	竹	役行者大峰桜	叢書⑭	
	12	豊	一谷嫩軍記	▲	未翻刻三㉜
	この頃	肥	親鸞聖人絵伝記	×	
2	2	竹	名筆傾城鑑	▼	
	5	竹	世話言漢楚軍談	▼	
	7	肥	太平記枕言	▼	

	11	竹	伊達錦五十四郡	▼	
	12	豊	倭仮名在原系図	▼	
3	5	竹	愛護稚名歌勝鬨	叢書⑭	
	7	豊	雄結勘助島	▼	
4	1	竹	菖蒲前操弦	▲	
	2	豊	相馬太郎莩文談	▼	
	4	竹	小袖組貫練門平	▼	
	7	豊	義経腰越状	▼	
	10以前	竹	太平記曦鎧	▽	＊京『大塔宮曦鎧』近松⑭の改題
	10	竹	小野道風青柳硯	叢書⑭	
	10頃	竹	恋女房染分手綱	▽	＊京
	12	豊	天智天皇苅穂庵	▼	
5	4	豊	三国小女郎曙桜	▼	
	6	竹	庭涼座鋪操	▼	
	7	豊	双扇長柄松	▼	
	7	竹	庭涼操座鋪	▼	
	11	竹	拍子扇浄瑠璃合	▼	
	11	竹	年忘座鋪操	▼	
6	2	竹	崇徳院讃岐伝記	▼	

	3	豊	義仲勲功記	▼	
	5	竹	業平男今様井筒	▽	＊京『京土産名所井筒』未翻刻⑦の改題
	10	竹	平惟茂凱陣紅葉	▼	
	閏10	豊	甲斐源氏桜軍配	▼	
	この年	豊	和田合戦女舞鶴	▽	近世篇参照
7	1	豊	写僊足利染	▼	
	2	竹	姫小松子の日遊	▼	
	3	豊	前九年奥州合戦	▼	
	7	肥	泉三郎伊達目貫	▼	
	9	竹	薩摩歌妓鑑	▼	
	12	豊	祇園祭礼信仰記	叢書㊲	
	12	竹	昔男春日野小町	▼	
8	3	竹	敵討崇禅寺馬場	▼	
	8	肥	聖徳太子職人鑑	▼	
	8	竹	蛭小島武勇問答	▼	
9	2	竹	日高川入相花王	未戯⑦	
	3	豊	芽源氏鶯塚	▼	
	5	豊	難波丸金鶏	▲	
	9	竹	太平記菊水之巻	叢書⑭	

	10	竹	楠正行軍略之巻	×	＊京『太平記菊水之巻』叢書⑭の改題
	12	豊	先陣浮洲巌	▼	
10	3	豊	桜姫賤姫桜	▼	
	7	竹	極彩色娘扇	▼	
	11	竹	年忘座舗操	×	＊大坂曽根崎新地芝居
	12	豊	祇園女御九重錦	叢書㊲	
11	1以前	竹	浪花土産年玉操	×	＊京
	1	竹	安倍清明倭言葉	▼	
	3	豊	八重霞浪花浜荻	▽	＊大坂曽根崎新地芝居 近世篇参照
	5	竹	由良湊千軒長者	▼	
	5	豊	曽根崎模様	▼	＊大坂曽根崎新地芝居
	9	豊	人丸万歳台	▼	
	9頃	豊	下総国累聶	×	近世篇〈補訂篇〉参照
	10	竹	冬籠難波梅	×	
	11	竹	古戦場鐘懸の松	▼	
12	2	豊	三好長慶碪軍談	▼	
	3	竹	花系図都鑑	▼	
	閏4	豊	岸姫松轡鑑	▼	

	6	竹	夏景色浄瑠璃合	×	
	夏	未	忠臣五枚兜	×	写本（一種）が伝存『浄瑠璃本史研究』参照
	9	竹	奥州安達原	半二	
13	3	豊	洛陽瓢念仏	▼	
	4	竹	山城の国畜生塚	叢書⑭	
	4	竹	天竺徳兵衛郷鏡	未戯⑤	
	4	豊	新舞台咲分牡丹	▼	
	7	豊	新舞台扇子錦木	▼	『浄瑠璃本史研究』参照
	8	竹	御前懸浄瑠璃相撲	×	
	12	豊	馬場忠太紅梅箙	▼	
	宝暦年中	竹	あづま摂恋山崎	×	
	宝暦年中	竹	天神記恵松	▽	『天神記』近松⑧の改題
	宝暦末頃	未	鉐石川五右衛門	×	＊京『浄瑠璃本史研究』参照
明和1	1	土	吉野合戦名香兜	▼	
	1	北	須磨内裏掓弓勢	▼	
	1	竹	傾城阿古屋の松	▼	
	3	外	増補姫小松子日の遊四段目	▼	『浄瑠璃本史研究』参照
	4	豊	官軍一統志	▼	

4	肥	祇園祭金閣寺小袖之鏡	×	
4	竹	京羽二重娘気質	▲	
夏	肥	乱菊枕慈童	×	『浄瑠璃本史研究』参照
7	竹	敵討稚物語	▲	
8	外	明月名残の見台	×	
8	扇	増補女舞剣紅葉	▼	
9	外	菊重蘸月見	×	
10	豊	嬢景清八島日記	▼	近世篇参照
11	豊	二ツ腹帯	▽	近世篇〈補訂篇〉参照
11	竹	江戸桜愛敬曽我	×	
12	竹	冬桜咲分錦	×	近世篇〈補訂篇〉参照
12	豊	いろは歌義臣鍪	▲	

（義太夫節正本刊行会）

［付記］翻刻の会（同志社大学）による翻刻一覧

享保13　尊氏将軍二代鑑　『同志社国文学』五七・六〇・六二
元文5　武烈天皇艤　『同志社国文学』六四・六六
寛保1　本朝斑女篓　『同志社国文学』四〇
寛保3　風俗太平記　『同志社国文学』三七
延享1　潤色江戸紫　『同志社国文学』九二・九三
延享4　悪源太平治合戦　『同志社国文学』七〇・七五
宝暦2　名筆傾城鑑　『同志社国文学』四五・四六
宝暦8　聖徳太子職人鑑　『同志社国文学』九六・九八
宝暦11　曽根崎模様　『同志社国文学』四一・四三
明和5　よみ売三巴　『同志社国文学』八二
明和6　振袖天神記　『同志社国文学』八八・九〇
寛政9　会稽多賀誉　『同志社国文学』七四・七七

義太夫節正本刊行会《ぎだゆうぶししょうほんかんこうかい》

飯島　満	伊藤りさ	上野左絵	川口節子
黒石陽子	坂本清恵	桜井　弘	高井詩穂*
田草川みずき	富澤美智子	原田真澄	東　晴美
渕田裕介	森　貴志	山之内英明	

（*は本巻担当者）

義太夫節浄瑠璃未翻刻作品集成《ぎだゆうぶしじょうるりみほんこくさくひんしゅうせい》（第《だい》8期《き》）(80)

花筏巌流島《はないかだがんりゅうじま》

2025年2月25日　初版第1刷発行

編者 ―――――― 義太夫節正本刊行会
発行者 ――――― 小原芳明
発行所 ――――― 玉川大学出版部
〒194-8610 東京都町田市玉川学園6-1-1
TEL 042-739-8935　FAX 042-739-8940
http://www.tamagawa.jp/up/
振替 00180-7-26665
装丁 ―――――― 松田洋一（原案）・しまうまデザイン
印刷・製本 ――― 創栄図書印刷株式会社

ISBN978-4-472-01702-5 C1091 / NDC912